On ne badine pas avec l'amour

ÉTONNANTS • CLASSIQUES

MUSSET

On ne badine pas avec l'amour

Présentation, notes, chronologie et dossier par
NATHALIE MARINIER,
professeur de lettres

Cahier photos par
MARIE-ANNE DE BÉRU,
professeur de lettres

Flammarion

**Du même auteur,
dans la même collection**

Il faut qu'une porte soit ouverte ou fermée. Un Caprice

© Flammarion, Paris, 1999.
Édition revue, 2014.
ISBN : 978-2-0812-2453-7
ISSN : 1269-8822

SOMMAIRE

On ne badine pas avec l'amour

Une figure romantique

Un adolescent doué

Né le 11 décembre 1810 à Paris dans une famille de la petite noblesse qui cultive assidûment le goût des arts et des lettres, Alfred de Musset connaît une enfance choyée et effectue de brillantes études au collège royal Henri-IV. Après un bref passage à l'université, où il entreprend des études de droit, puis de médecine qu'il n'achèvera jamais, il est introduit dès l'âge de dix-huit ans dans les cénacles [1] romantiques où il fait la connaissance de Victor Hugo. Son premier recueil de vers, *Contes d'Espagne et d'Italie*, publié en 1829, remporte un vif succès et consacre le précoce génie poétique de Musset. Les contradictions du cœur sont un thème repris dans ses œuvres poétiques suivantes, *Namouna* en 1832 et *Rolla* en 1833. Attiré, comme d'autres écrivains romantiques, par le théâtre, il écrit *La Nuit vénitienne* ; mais la pièce, représentée en 1830, est un échec qui décide Musset à ne plus écrire pour la scène mais uniquement pour la lecture. Sa pièce suivante, *Les Caprices de Marianne*, publiée en 1833 dans la *Revue des Deux-Mondes*, n'est pas représentée.

---

1. *Cénacles* : réunions d'artistes ou d'écrivains.

Des amours tourmentées mais fécondes

Durant les années 1833-1835, sa liaison passionnée avec George Sand s'achève après un difficile voyage à Venise pendant lequel Musset découvre un autre amant à sa maîtresse. Ce désastre sentimental donnera à l'œuvre de Musset sa maturité définitive. Cette passion tumultueuse marque de son empreinte *On ne badine pas avec l'amour*, dont Musset a commencé la rédaction avant son voyage en Italie mais qu'il achèvera en 1834. L'imprégnation autobiographique se retrouve entre autres dans la description de la vie couventine, l'amertume née d'un mariage raté, sensibles dans la scène 5 de l'acte II : elles s'inspirent directement de la vie de Sand, tandis que la dernière réplique de Perdican dans cette même scène a pour écho une lettre de la romancière à son amant, datée du 12 mai 1834 : « Mais ton cœur, ton bon cœur, ne le tue pas, je t'en prie ! Qu'il se mette tout entier ou en partie dans toutes les amours de ta vie, mais qu'il y joue toujours son rôle noble, afin qu'un jour tu puisses regarder en arrière et dire comme moi, j'ai souffert souvent, je me suis trompé quelquefois mais j'ai aimé. C'est moi qui ai vécu, et non pas un être factice créé par mon orgueil et mon ennui. »

La même année, Musset offre au drame romantique son chef-d'œuvre le plus abouti, avec *Lorenzaccio*, fresque historique sur la Florence des Médicis au xve siècle. Vient ensuite son roman autobiographique, *La Confession d'un enfant du siècle*, en 1836, qui livre les secrets d'un être en proie à une grande solitude, au sentiment aigu du « mal du siècle » et traduit plus généralement le désenchantement amer de toute une génération ayant perdu ses repères et ses grandes figures héroïques après la chute de l'Empire. Son cycle de quatre poèmes, *Les Nuits* (mai, décembre, août et octobre), de 1835 à 1837, propose enfin une méditation sur l'inspiration poétique et une chronique sentimentale d'où se dégage une certaine poétique de la douleur.

Une retraite précoce

À vingt-huit ans, Musset a donné le meilleur de son œuvre. Ses dernières années sont marquées par la maladie qu'aggravent son penchant pour l'alcool et une relative indifférence du public malgré son élection à l'Académie française en 1852.

Il exerce des fonctions de conservateur de bibliothèque dans différents ministères et multiplie des liaisons sans lendemain avec des actrices. Il meurt le 2 mai 1857.

On ne badine pas avec l'amour : une comédie dramatique

Le théâtre romantique

Genre éphémère, le théâtre romantique n'occupe qu'une petite place – vingt ans – au sein du mouvement romantique, puisque l'essentiel de ses œuvres se concentre de 1823 à 1843. Si les années 1820 se caractérisent par l'éclosion des manifestes (Stendhal, *Racine et Shakespeare* et Hugo, Préface de *Cromwell*), la période féconde date de la « bataille d'Hernani[1] » qui a lieu lors de la première représentation de la pièce, le 25 février 1830. Hugo, Vigny, Musset, Dumas vont alors écrire pour le théâtre, dont ils défendent une nouvelle esthétique fondée entre autres

---

1. La « bataille d'Hernani » fut menée par Hugo et ses amis romantiques, partisans d'un théâtre libre, tant dans la forme que dans les thèmes abordés, contre la censure et les défenseurs des règles de la bienséance classiques.

sur le rejet des règles classiques : l'Histoire doit être mise en scène, et l'accent porté sur les déterminations sociales et historiques dépassant le beau intemporel qui s'intéressait à l'essence permanente de l'homme. Le respect des trois unités, condition indispensable de la réussite d'une pièce classique, s'efface désormais devant le génie propre à chaque dramaturge. De même, la vie réelle doit être représentée et rien ne doit être évacué de la scène au nom des bienséances classiques qui interdisaient de représenter des actes de violence ou de mort.

Les romantiques mettent l'accent sur l'individu, solitaire et souvent rendu cependant vulnérable par sa fragilité affective. En quête de sa propre identité, le héros romantique s'interroge sur la vérité du monde qui l'entoure et utilise souvent le masque pour percer à jour les mensonges de ceux qui l'entourent. Le langage devient alors et sa force et sa faiblesse : en effet, le discours est pour le héros romantique le moyen d'affirmer sa différence que ne lui accorde pas automatiquement son rang social. Tour à tour dénonciateur ou prophète, le héros romantique peut aussi tomber dans les pièges du langage, dans le malentendu, source parfois de désillusions qui le mènent tout droit à la tragédie. Cette parole souvent libérée du vers classique (Vigny et Musset s'opposent sur ce point à Hugo) rend au langage dramatique une virulence nouvelle et le mélange des registres de langue témoigne nettement d'une volonté de représentation globale, n'ignorant aucune couche sociale.

Un romantisme désenchanté

On s'accorde à reconnaître que Musset a assuré sa postérité au théâtre romantique : *Lorenzaccio* est le drame romantique par excellence aussi bien par la richesse de ses analyses psychologiques que par la complexité de l'intrigue. Pourtant les rapports de Musset et du théâtre s'inscrivent, tout comme la vie de

Musset elle-même, dans le registre du désenchantement. En effet, après l'échec retentissant de sa première pièce, *La Nuit vénitienne*, Musset s'était promis de ne plus jamais écrire pour la scène. Rien toutefois dans ses œuvres n'interdit une future mise en scène. Si *On ne badine pas avec l'amour* n'est monté qu'en 1861 et *Lorenzaccio* en 1896, le dramaturge aura eu la satisfaction de voir certaines de ses pièces connaître le succès (*Un caprice* est monté à la Comédie-Française en 1847, puis *Les Caprices de Marianne* en 1851 dans le même théâtre).

On ne badine pas avec l'amour emprunte au drame romantique plusieurs de ses particularités, le mélange des genres notamment et l'alternance de scènes comiques et tragiques que les romantiques ont empruntée à Shakespeare. Par sa légèreté de ton et sa poésie, c'est cependant davantage une comédie d'intrigue sentimentale, mais une comédie qui subrepticement tourne au drame. À la différence de chez Marivaux en effet, l'amour ne triomphe guère dans cette pièce mais porte au contraire la responsabilité de sa propre perte. Là où le marivaudage permettait aux héros de découvrir la vérité des sentiments, où les malentendus constituaient un ressort comique, le badinage de Musset n'engendre que la souffrance, chez des personnages en quête d'absolu et victimes de méprises qui se révèlent tragiques.

Un proverbe mis en scène

Un genre littéraire

Le choix du proverbe comme titre de la pièce s'inscrit dans la tradition d'un jeu de salon des XVIIe et XVIIIe siècles qui consistait à construire un scénario autour d'un proverbe glissé dans une saynète qu'interprétaient des joueurs, tandis que les spectateurs devaient deviner ce proverbe.

Ce jeu devint ensuite un genre littéraire à part entière : Carmontelle en 1769 publie *Amusements de société ou Proverbes dramatiques*. Musset quant à lui a recours au proverbe pour quelques-unes de ses pièces : *Il ne faut jurer de rien*, *Il faut qu'une porte soit ouverte ou fermée*, *On ne saurait penser à tout*.

Le proverbe *On ne badine pas avec l'amour* veut conférer à la pièce une portée universelle : au-delà de l'aventure sentimentale que vivent Camille et Perdican, leur histoire doit avoir pour tous une valeur exemplaire. L'échec de leur amour s'explique par la transgression de cette vérité commune : l'amour est une chose trop sérieuse pour qu'on puisse s'en amuser, ne fût-ce que par le langage.

Le chœur, un héritage antique

À l'origine, la tragédie grecque, née des poèmes lyriques déclamés en l'honneur de Dionysos (dieu de la végétation, de la fertilité et du vin), s'organise autour du chœur. Un personnage qui représente l'auteur dialogue avec le chœur, composé d'un groupe de *choreutes* dirigés par le *coryphée*, le chef du chœur. Chœur et personnages évoluaient sur des parties différentes de la scène et de façon distincte : le personnage avait recours à la récitation, le chœur utilisait le chant et la danse.

L'une des fonctions du chœur était de ponctuer par ses interventions les différentes étapes de la pièce, qui n'était pas divisée en actes. Sans participer directement à l'action qui se déroule sur scène, le chœur avait néanmoins pour rôle d'exprimer certaines angoisses, certains jugements sur le comportement des personnages actifs, et d'influer d'une manière ou d'une autre sur leurs comportements.

Progressivement l'importance du chœur diminua dans le théâtre pour n'être plus réduite qu'à celle de simple témoin. Musset cependant lui redonne dans ses pièces un rôle non négligeable. Dans *On ne badine pas avec l'amour*, sorte d'incarnation des paysans, il est à la fois témoin et juge, et représente la conscience du village.

Modernité du langage

Chaque personnage dans *On ne badine pas avec l'amour* possède sa propre forme de langage. Tous cependant utilisent la prose et non plus l'alexandrin comme dans la tragédie classique, car Musset, comme la plupart des romantiques (à l'exception de Victor Hugo), jugeait la prose mieux à même d'exprimer les errements du cœur et la confusion des sentiments.

Musset multiplie dans sa pièce les registres de langue. De part et d'autre du chœur, qui commente en termes poétiques l'échec annoncé de l'amour, s'opposent deux générations :

– les adultes (Maître Bridaine, Maître Blazius, le Baron, Dame Pluche), d'une part, sont des fantoches [1], prisonniers d'une morale étriquée, irréductiblement étrangers aux interrogations et aux doutes que connaissent les jeunes gens et dont le langage regorge de clichés ; ce sont leurs répliques qui portent la dimension comique et grotesque de la pièce, et Musset n'hésite pas à placer dans leur bouche un certain nombre de jurons qui donnent au texte une tonalité très moderne pour l'époque ;

– les jeunes gens d'autre part (Camille, Rosette, Perdican) tentent vainement de redéfinir un monde nouveau débarrassé du mensonge. Ils expriment un lyrisme tantôt léger et bucolique,

---

1. Le terme italien *fantoccio* qui désigne à l'origine des marionnettes s'applique ici à des personnages comiques dégradés que leurs travers empêchent de prendre au sérieux.

tantôt grave et pathétique. Tout entre eux est histoire de langage : langage verbal qui oscille entre les aveux et les non-dits, langage visuel qui consiste à voir et à être vu, langage écrit des billets et des lettres, langage corporel enfin de la proximité et de l'éloignement physique, langages où s'affrontent jusqu'à la tragédie le mensonge et la sincérité.

CHRONOLOGIE

1810 1857
1810 1857

■ **Repères historiques et culturels**

■ **Vie et œuvre de l'auteur**

Repères historiques et culturels

1799	Coup d'État du 18 Brumaire.
1802	Chateaubriand, *René*.
1804-1814	Premier Empire.
1804	Institution du Code civil.
1805	Batailles de Trafalgar et d'Austerlitz.
1806	Bataille d'Iéna.
1807	David, *Le Sacre de Napoléon*.
1810	Naissance de Chopin. Mme de Staël, *De l'Allemagne*.
1811	Naissance de Théophile Gautier.
1812	Campagne de Russie.
1814-1830	La Restauration.
1815	Les Cent Jours. Bataille de Waterloo.
1815-1824	Règne de Louis XVIII.
1816	Constant, *Adolphe*.
1819	Géricault, *Le Radeau de la Méduse*.
1820	Assassinat du duc de Berry. Lamartine, *Méditations poétiques*.
1821	Mort de Napoléon.
1822	Hugo, *Odes*.
1823	Delacroix, *Scènes des massacres de Scio*.
1824-1830	Règne de Charles X.
1826	Vigny, *Cinq-Mars*.
1827	Hugo, *Cromwell*.
1828	Campagne de Grèce.
1829	Balzac, *Les Chouans*. Hugo, *Les Orientales*.

Vie et œuvre de l'auteur

1810   *11 décembre* : naissance d'Alfred de Musset.

1819   Musset entre au collège royal Henri-IV.
             Élève brillant, il obtiendra le deuxième prix de dissertation
             latine au concours général et le premier prix de philosophie.

1828   Musset fréquente les cercles romantiques.
             Il est introduit auprès de Victor Hugo.

Repères historiques et culturels

1830-1848	Règne de Louis-Philippe
1830	Révolution de Juillet. Début de la conquête de l'Algérie. Stendhal, *Le Rouge et le Noir*. Hugo, *Hernani*.
1831	Révolte des Canuts à Lyon. Hugo, *Les Feuilles d'automne*. Delacroix, *La Liberté guidant le peuple*.
1832	Mort de Goethe et de Walter Scott.
1833	Loi Guizot sur l'enseignement primaire. Hugo, *Lucrèce Borgia*.
1834	Émeutes républicaines à Paris et à Lyon.
1835	Vigny, *Chatterton*. Gautier, *Mademoiselle de Maupin*.
1837	Mérimée, *La Vénus d'Ille*. Hugo, *Les Voix intérieures*.
1838	Hugo, *Ruy Blas*.
1839	Stendhal, *La Chartreuse de Parme*. Naissance de Cézanne.

Vie et œuvre de l'auteur

1030
Contos d'Espagne et d'Italie,
Première représentation de *La Nuit vénitienne* au Théâtre
de l'Odéon. La pièce est retirée de l'affiche après deux
représentations. Musset décide d'écrire des pièces
pour la lecture et non pour la scène.

1832
Mort du père de Musset. Le jeune homme doit désormais écrire
pour vivre. Il publie *Un spectacle dans un fauteuil*, recueil
de poèmes qui comprend une comédie, *À quoi rêvent les jeunes
filles*, un drame, *La Coupe et les Lèvres*, et *Namouna*, conte oriental.

1833
Début de la liaison de Musset avec George Sand. Les deux
amants partent pour l'Italie en décembre.
Les Caprices de Marianne ; *André del Sarto* ; *Rolla.*

1834
Musset tombe malade à Venise.
Il découvre la liaison de George Sand avec le docteur Pagello
qui le soigne.
Brisé, il rentre à Paris.
On ne badine pas avec l'amour ; *Lorenzaccio.*

1835
Rupture définitive avec George Sand.
Début du cycle des *Nuits* (*La Nuit de mai*, *La Nuit de décembre*) ;
Le Chandelier.

1836
La Confession d'un enfant du siècle, roman autobiographique.
Il ne faut jurer de rien ; *La Nuit d'août.*

1837
Un caprice ; *La Nuit d'octobre.*

1838
Musset est nommé bibliothécaire du ministère de l'Intérieur.

Repères historiques et culturels

1840	Naissance de Zola. Mérimée, *Colomba*. Hugo, *Les Rayons et les Ombres*.
1843	Hugo, *Les Burgraves*. Fin du théâtre romantique.
1844	Dumas, *Les Trois Mousquetaires*. Naissance de Verlaine.
1846	Crise économique et financière. Sand, *La Mare au diable*.
1848	Révolution de février. Chateaubriand, *Mémoires d'outre-tombe* (édition posthume). Marx et Engels, *Manifeste du parti communiste*.
1848-1851	Seconde République.
1849	Courbet, *L'Enterrement à Ornans*.
1851	Coup d'État du 2 décembre de Louis-Napoléon Bonaparte.
1852-1870	Second Empire.
1855	Nerval, *Aurélia*. Mort de Nerval.
1856	Flaubert, *Madame Bovary*. Hugo, *Les Contemplations*. Baudelaire, *Les Fleurs du Mal*.

Vie et œuvre de l'auteur

1840   Musset tombe gravement malade. Après sa guérison, il mène
une existence morne. Son inspiration littéraire se tarit.

1843   Nouvelle maladie due à l'alcool.

1845   Musset est nommé chevalier de la Légion d'honneur.

1847   Première représentation d'*Un caprice* à la Comédie-Française.
La pièce – la première a être montée depuis l'échec de *La Nuit
vénitienne* en 1830 – est un succès.

1848   Après la chute de Louis-Philippe, Musset perd son poste
de bibliothécaire.

1851   Première représentation des *Caprices de Marianne*
à la Comédie-Française.

1852   Élection à l'Académie française.
Publication des poésies de Musset dans leur classement
définitif : *Premières poésies* (1829-1835) et *Poésies nouvelles*
(1836-1852).

1857   *2 mai* : Mort d'Alfred de Musset.
Inhumation au Père-Lachaise.

1861   Première représentation d'*On ne badine pas avec l'amour*
à la Comédie-Française.

1896   Première représentation de *Lorenzaccio* (version mutilée) au
théâtre Sarah-Bernhardt, avec Sarah Bernhardt dans le rôle titre.

On ne badine pas
avec l'amour

Proverbe

PERSONNAGES

LE BARON.
PERDICAN, son fils.
MAÎTRE BLAZIUS, gouverneur[1] de Perdican.
MAÎTRE BRIDAINE, curé.
CAMILLE, nièce du Baron.
DAME PLUCHE, sa gouvernante.
ROSETTE, sœur de lait[2] de Camille.
Paysans, valets, etc.

Dame Pluche — nun

Qo Le Baron — religious

Blazius — priest

Bridaine — priest

---

1. *Gouverneur* : celui qui dirigeait l'éducation des enfants princiers ou royaux.
2. *Sœur de lait* : enfant qui a été allaitée par la même nourrice (les femmes de la noblesse, à l'époque, confiaient leurs nouveau-nés à de jeunes mères qui les nourrissaient en même temps que leur propre enfant).

Acte premier

Scène 1
Une place devant le château

LE CHŒUR

Doucement bercé sur sa mule fringante[1], messer[2] Blazius[3] s'avance dans les bluets[4] fleuris, vêtu de neuf, l'écritoire au côté. Comme un poupon sur l'oreiller, il se ballotte sur son ventre rebondi, et les yeux à demi fermés, il marmotte un *Pater noster*[5]
5 dans son triple menton. Salut, maître Blazius ; vous arrivez au temps de la vendange, pareil à une amphore[6] antique.

MAÎTRE BLAZIUS

Que ceux qui veulent apprendre une nouvelle d'importance, m'apportent ici premièrement un verre de vin frais.

---

1. *Fringante* : qui est très vive.
2. *Messer* : il s'agit d'un vieux mot italien *messere* qui signifie messire.
3. *Blazius* : ce nom reprend celui de vrais savants flamands et allemands.
4. *Bluets* : bleuets.
5. *Pater noster* : la prière latine appelée en français « Notre Père » et commençant par ces mots : « Notre Père, qui êtes aux cieux… »
6. *Amphore* : vase à deux anses, de forme ovale.

LE CHŒUR

Voilà notre plus grande écuelle ; buvez, maître Blazius, le vin
10 est bon ; vous parlerez après.

MAÎTRE BLAZIUS

Vous saurez, mes enfants, que le jeune Perdican, fils de notre
seigneur, vient d'atteindre à sa majorité, et qu'il est reçu docteur [1] à
Paris. Il revient aujourd'hui même au château, la bouche toute
pleine de façons de parler si belles et si fleuries [2], qu'on ne sait que
15 lui répondre les trois quarts du temps. Toute sa gracieuse personne
est un livre d'or [3] ; il ne voit pas un brin d'herbe à terre, qu'il ne
vous dise [4] comment cela s'appelle en latin ; et quand il fait du vent
ou qu'il pleut, il vous dit tout clairement pourquoi. Vous ouvririez
des yeux grands comme la porte que voilà, de le voir dérouler un
20 des parchemins qu'il a coloriés d'encres de toutes couleurs, de ses
propres mains et sans en rien dire à personne. Enfin, c'est un
diamant fin des pieds à la tête, et voilà ce que je viens annoncer à
M. le Baron. Vous sentez que cela me fait quelque honneur, à moi,
qui suis son gouverneur [5] depuis l'âge de quatre ans ; ainsi donc,
25 mes bons amis, apportez une chaise que je descende un peu de
cette mule-ci sans me casser le cou ; la bête est tant soit peu rétive [6],
et je ne serais pas fâché de boire encore une gorgée avant d'entrer.

LE CHŒUR

Buvez, maître Blazius, et reprenez vos esprits. Nous avons vu
naître le petit Perdican, et il n'était pas besoin, du moment qu'il

---

1. *Il est reçu docteur* : il a soutenu et obtenu sa thèse de doctorat.
2. *Fleuries* : précieuses, recherchées, maniérées.
3. *Livre d'or* : à Venise, livre où figuraient en lettres d'or les noms des
familles nobles. C'est devenu ensuite un livre où sont écrits les noms et les
faits illustres.
4. *Il ne voit pas un brin d'herbe à terre, qu'il ne vous dise* : à chaque fois
qu'il voit un brin d'herbe, il peut vous dire…
5. *Gouverneur* : voir note 1, p. 22.
6. *Rétive* : qui s'arrête, ne veut pas avancer.

30 arrive, de nous en dire si long. Puissions-nous retrouver l'enfant dans le cœur de l'homme !

MAÎTRE BLAZIUS

Ma foi, l'écuelle est vide ; je ne croyais pas avoir tout bu. Adieu ; j'ai préparé, en trottant sur la route, deux ou trois phrases sans prétention qui plairont à monseigneur ; je vais tirer la cloche.

Il sort.

LE CHŒUR

35 Durement cahotée sur son âne essoufflé, dame Pluche gravit la colline ; son écuyer transi [1] gourdine [2] à tour de bras le pauvre animal, qui hoche la tête, un chardon entre les dents. Ses longues jambes maigres trépignent de colère, tandis que, de ses mains osseuses, elle égratigne son chapelet [3]. Bonjour donc, dame Pluche ;
40 vous arrivez comme la fièvre, avec le vent qui fait jaunir les bois.

DAME PLUCHE

Un verre d'eau, canaille que vous êtes ; un verre d'eau et un peu de vinaigre.

LE CHŒUR

D'où venez-vous, Pluche, ma mie ? Vos faux cheveux sont couverts de poussière ; voilà un toupet [4] de gâté, et votre chaste
45 robe est retroussée jusqu'à vos vénérables jarretières.

DAME PLUCHE

Sachez, manants [5], que la belle Camille, la nièce de votre maître, arrive aujourd'hui au château. Elle a quitté le couvent sur

---

1. *Transi* : engourdi par le froid.
2. *Gourdine* : frappe à coups de bâton, de gourdin.
3. *Chapelet* : suite de grains glissés sur un fil que l'on fait glisser entre ses doigts en récitant des prières.
4. *Toupet* : faux cheveux en touffe sur le dessus de la tête.
5. *Manants* : terme péjoratif qui désigne un paysan, d'après le sens premier du mot qui signifiait « habitant d'un bourg ou d'un village ».

l'ordre exprès de monseigneur, pour venir en son temps et lieu recueillir, comme faire se doit, le bon bien qu'elle a de sa mère.
50 Son éducation, Dieu merci, est terminée, et ceux qui la verront auront la joie de respirer une glorieuse[1] fleur de sagesse et de dévotion[2]. Jamais il n'y a rien eu de si pur, de si ange, de si agneau et de si colombe que cette chère nonnain[3] ; que le Seigneur Dieu du ciel la conduise ! Ainsi soit-il. Rangez-vous, canaille ; il me
55 semble que j'ai les jambes enflées.

LE CHŒUR

Défripez-vous, honnête Pluche, et quand vous prierez Dieu, demandez de la pluie ; nos blés sont secs comme vos tibias.

DAME PLUCHE

Vous m'avez apporté de l'eau dans une écuelle qui sent la cuisine ; donnez-moi la main pour descendre ; vous êtes des
60 butors[4] et des malappris.

Elle sort.

LE CHŒUR

Mettons nos habits du dimanche, et attendons que le Baron nous fasse appeler. Ou je me trompe fort, ou quelque joyeuse bombance[5] est dans l'air d'aujourd'hui.

Ils sortent.

---

1. *Glorieuse* : qui reçoit une part de la gloire divine.
2. *Dévotion* : grand attachement à la religion et à ses pratiques.
3. *Nonnain* : forme archaïque, employée avec une intention comique du mot « nonne » (religieuse).
4. *Butors* : familièrement, hommes stupides et grossiers.
5. *Bombance* : très bon repas.

Scène 2

Le salon du Baron
Entrent le Baron, maître Bridaine et maître Blazius

LE BARON

Maître Bridaine, vous êtes mon ami ; je vous présente maître Blazius, gouverneur[1] de mon fils. Mon fils a eu hier matin, à midi huit minutes, vingt et un ans comptés ; il est docteur à quatre boules blanches[2]. Maître Blazius, je vous présente maître
5 Bridaine, curé de la paroisse ; c'est mon ami.

MAÎTRE BLAZIUS, *saluant.*

À quatre boules blanches, seigneur ; littérature, botanique, droit romain[3], droit canon[4].

LE BARON

Allez à votre chambre, cher Blazius, mon fils ne va pas tarder à paraître ; faites un peu de toilette, et revenez au coup de la cloche.
Maître Blazius sort.

MAÎTRE BRIDAINE

10 Vous dirai-je ma pensée, monseigneur ? Le gouverneur de votre fils sent le vin à pleine bouche.

---

1. *Gouverneur* : voir note 1, p. 22.
2. *Docteur à quatre boules blanches* : lors d'un examen, la boule blanche signifiait la complète satisfaction, la boule rouge que l'ensemble était passable et la boule noire que le candidat avait échoué. Les quatre boules blanches montrent que Perdican a brillamment réussi.
3. *Droit romain* : étude de la législation des Romains, qui est le fondement du droit français.
4. *Droit canon* : droit de l'Église, fondé sur la connaissance des lois de celle-ci, dites lois canoniques.

Cela est impossible.

MAÎTRE BRIDAINE

J'en suis sûr comme de ma vie ; il m'a parlé de fort près tout à l'heure ; il sentait le vin à faire peur.

LE BARON

15 Brisons là ; je vous répète que cela est impossible.

Entre dame Pluche.

Vous voilà, bonne dame Pluche ? Ma nièce est sans doute avec vous ?

DAME PLUCHE

Elle me suit, monseigneur, je l'ai devancée de quelques pas.

LE BARON

Maître Bridaine, vous êtes mon ami. Je vous présente la dame
20 Pluche, gouvernante de ma nièce. Ma nièce est depuis hier, à sept heures de nuit, parvenue à l'âge de dix-huit ans. Elle sort du meilleur couvent de France. Dame Pluche, je vous présente maître Bridaine, curé de la paroisse ; c'est mon ami.

DAME PLUCHE, *saluant.*

Du meilleur couvent de France, seigneur, et je puis ajouter : la
25 meilleure chrétienne du couvent.

LE BARON

Allez, dame Pluche, réparer le désordre où vous voilà ; ma nièce va bientôt venir, j'espère ; soyez prête à l'heure du dîner.

Dame Pluche sort.

MAÎTRE BRIDAINE

Cette vieille demoiselle paraît tout à fait pleine d'onction [1].

---

1. *Onction* : douceur attrayante.

LE BARON

Pleine d'onction et de componction[1], maître Bridaine; sa
30 vertu est inattaquable.

MAÎTRE BRIDAINE

Mais le gouverneur sent le vin; j'en ai la certitude.

LE BARON

Maître Bridaine! Il y a des moments où je doute de votre
amitié. Prenez-vous à tâche de me contredire? Pas un mot de
plus là-dessus. J'ai formé le dessein[2] de marier mon fils avec ma
35 nièce; c'est un couple assorti; leur éducation me coûte six mille
écus[3].

MAÎTRE BRIDAINE

Il sera nécessaire d'obtenir des dispenses[4].

LE BARON

Je les ai, Bridaine; elles sont sur ma table, dans mon cabinet[5]. Ô mon ami, apprenez maintenant que je suis plein de joie.
40 Vous savez que j'ai eu de tout temps la plus profonde horreur de
la solitude. Cependant la place que j'occupe, et la gravité de mon
habit, me forcent à rester dans ce château pendant trois mois
d'hiver, et trois mois d'été. Il est impossible de faire le bonheur
des hommes en général, et de ses vassaux[6] en particulier, sans

---

1. *Componction* : ironiquement ici, air sérieux et grave. Notons le jeu de
mots : « componction » reprend phonétiquement « onction ».
2. *Dessein* : projet.
3. *Écus* : pièces de monnaie en argent.
4. *Des dispenses* : Perdican et Camille sont cousins germains : leur mariage
est interdit par les règles de l'Église, dont ils doivent être dispensés.
5. *Cabinet* : pièce où l'on travaille.
6. *Vassaux* : au Moyen Âge, le vassal est un homme lié personnellement au
seigneur, son suzerain, qui lui accorde le droit de posséder un fief. Ici, les
vassaux désignent des hommes dépendant d'un autre homme, considérés
comme ses inférieurs.

⁴⁵ donner parfois à son valet de chambre l'ordre rigoureux de ne laisser entrer personne. Qu'il est austère et difficile, le recueillement de l'homme d'État ! et quel plaisir ne trouverai-je pas à tempérer, par la présence de mes deux enfants réunis, la sombre tristesse à laquelle je dois nécessairement être en proie depuis que
⁵⁰ le roi m'a nommé receveur [1] !

MAÎTRE BRIDAINE

Ce mariage se fera-t-il ici, ou à Paris ?

LE BARON

Voilà où je vous attendais, Bridaine ; j'étais sûr de cette question. Eh bien ! mon ami, que diriez-vous si ces mains que voilà, oui, Bridaine, vos propres mains, ne les regardez pas d'une
⁵⁵ manière aussi piteuse [2], étaient destinées à bénir solennellement l'heureuse confirmation de mes rêves les plus chers ? Hé ?

MAÎTRE BRIDAINE

Je me tais ; la reconnaissance me ferme la bouche.

LE BARON

Regardez par cette fenêtre ; ne voyez-vous pas que mes gens se portent en foule à la grille ? Mes deux enfants arrivent en même
⁶⁰ temps ; voilà la combinaison la plus heureuse. J'ai disposé les choses de manière à tout prévoir. Ma nièce sera introduite par cette porte à gauche, et mon fils par cette porte à droite. Qu'en dites-vous ? Je me fais une fête de voir comment ils s'aborderont, ce qu'ils se diront ; six mille écus ne sont pas une bagatelle, il ne
⁶⁵ faut pas s'y tromper. Ces enfants s'aimaient d'ailleurs fort tendrement dès le berceau. – Bridaine, il me vient une idée.

MAÎTRE BRIDAINE

Laquelle ?

---

1. *Receveur* : collecteur des impôts.
2. *Piteuse* : qui exprime la pitié, malheureuse.

LE BARON

Pendant le dîner, sans avoir l'air d'y toucher, – vous comprenez, mon ami, – tout en vidant quelques coupes joyeuses, – vous
70 savez le latin, Bridaine.

MAÎTRE BRIDAINE

Ita edepol[1] : pardieu, si je le sais !

LE BARON

Je serais bien aise de vous voir entreprendre[2] ce garçon,
– discrètement, s'entend, – devant sa cousine ; cela ne peut pro-
duire qu'un bon effet ; – faites-le parler un peu latin, – non pas
75 précisément pendant le dîner, – cela deviendrait fastidieux[3], et
quant à moi, je n'y comprends rien ; – mais au dessert, – entendez-
vous ?

MAÎTRE BRIDAINE

Si vous n'y comprenez rien, monseigneur, il est probable que
votre nièce est dans le même cas.

LE BARON

80 Raison de plus ; ne voulez-vous pas[4] qu'une femme admire ce
qu'elle comprend ? D'où sortez-vous, Bridaine ? Voilà un raison-
nement qui fait pitié.

MAÎTRE BRIDAINE

Je connais peu les femmes ; mais il me semble qu'il est difficile
qu'on admire ce qu'on ne comprend pas.

---

1. *Ita edepol* : « Oui, par Pollux ! », juron latin ou formule de serment réservée
aux hommes.
2. *Entreprendre (quelqu'un)* : faire la conversation à quelqu'un, l'inciter à
la discussion.
3. *Fastidieux* : très ennuyeux.
4. *Ne voulez-vous pas* : voudriez-vous ?

LE BARON

85 Je les connais, Bridaine ; je connais ces êtres charmants et indéfinissables. Soyez persuadé qu'elles aiment à avoir de la poudre dans les yeux, et que plus on leur en jette, plus elles les écarquillent, afin d'en gober davantage.

Perdican entre d'un côté, Camille de l'autre.

Bonjour, mes enfants ; bonjour, ma chère Camille, mon cher
90 Perdican ! Embrassez-moi, et embrassez-vous.

PERDICAN

Bonjour, mon père, ma sœur bien-aimée ! Quel bonheur ! que je suis heureux !

CAMILLE

Mon père et mon cousin, je vous salue.

PERDICAN

Comme te voilà grande, Camille ! et belle comme le jour.

LE BARON

95 Quand as-tu quitté Paris, Perdican ?

PERDICAN

Mercredi, je crois, ou mardi. Comme te voilà métamorphosée en femme ! Je suis donc un homme, moi ! Il me semble que c'est hier que je t'ai vue pas plus haute que cela.

LE BARON

Vous devez être fatigués ; la route est longue et il fait chaud.

PERDICAN

100 Oh ! mon Dieu, non. Regardez donc, mon père, comme Camille est jolie !

LE BARON

Allons, Camille, embrasse ton cousin.

CAMILLE

Excusez-moi [1].

LE BARON

Un compliment vaut un baiser ; embrasse la, Perdican.

PERDICAN

105 Si ma cousine recule quand je lui tends la main, je vous dirai à
mon tour : Excusez-moi ; l'amour peut voler un baiser, mais non
pas l'amitié.

CAMILLE

L'amitié ni l'amour ne doivent recevoir que ce qu'ils peuvent
rendre.

LE BARON, *à maître Bridaine.*

110 Voilà un commencement de mauvais augure ; hé ?

MAÎTRE BRIDAINE, *au Baron.*

Trop de pudeur est sans doute un défaut ; mais le mariage
lève bien des scrupules.

LE BARON, *à maître Bridaine.*

Je suis choqué, – blessé. – Cette réponse m'a déplu. – *Excusez-
moi !* Avez-vous vu qu'elle a fait mine de se signer ? – Venez ici, que
115 je vous parle. – Cela m'est pénible au dernier point. Ce moment
qui devait m'être si doux est complètement gâté. – Je suis vexé,
– piqué [2]. – Diable ! voilà qui est fort mauvais.

MAÎTRE BRIDAINE

Dites-leur quelques mots ; les voilà qui se tournent le dos.

LE BARON

Eh bien ! mes enfants, à quoi pensez-vous donc ? Que fais-tu
120 là, Camille, devant cette tapisserie ?

---

1. *Excusez-moi* : formule de refus poli.
2. *Piqué* : irrité, agacé, vexé.

CAMILLE, *regardant un tableau.*

Voilà un beau portrait, mon oncle. N'est-ce pas une grand-tante à nous ?

LE BARON

Oui, mon enfant, c'est ta bisaïeule[1], – ou du moins, – la sœur de ton bisaïeul, – car la chère dame n'a jamais concouru, – pour
125 sa part, je crois, autrement qu'en prières, – à l'accroissement de la famille. – C'était, ma foi, une sainte femme.

CAMILLE

Oh ! oui, une sainte ! c'est ma grand-tante Isabelle. Comme ce costume religieux lui va bien !

LE BARON

Et toi, Perdican, que fais-tu là devant ce pot de fleurs ?

PERDICAN

130 Voilà une fleur charmante, mon père. C'est un héliotrope[2].

LE BARON

Te moques-tu ? elle est grosse comme une mouche.

PERDICAN

Cette petite fleur grosse comme une mouche a bien son prix.

MAÎTRE BRIDAINE

Sans doute ! le docteur a raison ; demandez-lui à quel sexe, à quelle classe elle appartient ; de quels éléments elle se forme,
135 d'où lui viennent sa sève et sa couleur ; il vous ravira en extase en vous détaillant les phénomènes de ce brin d'herbe, depuis la racine jusqu'à la fleur.

---

1. *Bisaïeule* : mère de l'aïeul ou de l'aïeule, autrement dit du grand-père ou de la grand-mère.
2. *Héliotrope* : plante dont les fleurs violettes sont très odorantes.

PERDICAN

Je n'en sais pas si long, mon révérend. Je trouve qu'elle sent bon, voilà tout.

Scène 3

Devant le château
Entre le chœur

LE CHŒUR

Plusieurs choses me divertissent et excitent ma curiosité. Venez, mes amis, et asseyons-nous sous ce noyer. Deux formidables dîneurs sont en ce moment en présence au château, maître Bridaine et maître Blazius. N'avez-vous pas fait une remarque ?
5 c'est que lorsque deux hommes à peu près pareils, également gros, également sots, ayant les mêmes vices et les mêmes passions, viennent par hasard à se rencontrer, il faut nécessairement qu'ils s'adorent ou qu'ils s'exècrent [1]. Par la raison que les contraires s'attirent, qu'un homme grand et desséché aimera un
10 homme petit et rond, que les blonds recherchent les bruns, et réciproquement, je prévois une lutte secrète entre le gouverneur [2] et le curé. Tous deux sont armés d'une égale impudence [3] ; tous deux ont pour ventre un tonneau ; non seulement ils sont gloutons, mais ils sont gourmets ; tous deux se disputeront à dîner,
15 non seulement la quantité, mais la qualité. Si le poisson est petit, comment faire ? et dans tous les cas une langue de carpe ne peut se partager, et une carpe ne peut avoir deux langues. *Item* [4], tous deux sont bavards ; mais à la rigueur ils peuvent parler ensemble sans s'écouter ni l'un ni l'autre. Déjà maître Bridaine a voulu

---

1. *Qu'ils s'exècrent* : qu'ils se haïssent au plus haut point.
2. *Gouverneur* : voir note 1, p. 22.
3. *Impudence* : aplomb, insolence.
4. *Item* : de même, en outre.

adresser au jeune Perdican plusieurs questions pédantes, et le gouverneur a froncé le sourcil. Il lui est désagréable qu'un autre que lui semble mettre son élève à l'épreuve. *Item*, ils sont aussi ignorants l'un que l'autre. *Item*, ils sont prêtres tous deux ; l'un se targuera de sa cure[1], l'autre se rengorgera dans sa charge de gouverneur. Maître Blazius confesse le fils, et maître Bridaine le père. Déjà, je les vois accoudés sur la table, les joues enflammées, les yeux à fleur de tête, secouer pleins de haine leurs triples mentons. Ils se regardent de la tête aux pieds, ils préludent[2] par de légères escarmouches[3] ; bientôt la guerre se déclare ; les cuistreries[4] de toute espèce se croisent et s'échangent ; et, pour comble de malheur, entre les deux ivrognes s'agite dame Pluche, qui les repousse l'un et l'autre de ses coudes affilés.

Maintenant que voilà le dîner[5] fini, on ouvre la grille du château. C'est la compagnie qui sort ; retirons-nous à l'écart.

Ils sortent.

Entrent le Baron et dame Pluche.

LE BARON

Vénérable Pluche, je suis peiné.

DAME PLUCHE

Est-il possible, monseigneur ?

LE BARON

Oui, Pluche, cela est possible. J'avais compté depuis longtemps, – j'avais même écrit, noté, – sur mes tablettes de poche, – que ce jour devait être le plus agréable de mes jours, – oui, bonne dame, le plus agréable. – Vous n'ignorez pas que mon dessein était de marier mon fils avec ma nièce ; – cela était résolu,

---

1. *L'un se targuera de sa cure* : l'un se vantera de sa fonction de curé.
2. *Ils préludent* : ils commencent.
3. *Escarmouches* : rapides échanges de propos vifs, sans gravité.
4. *Cuistreries* : propos pédants et ridicules.
5. *Le dîner* : désigne, à l'époque, le repas de midi.

– convenu, – j'en avais parlé à Bridaine, – et je vois, je crois voir, que ces enfants se parlent froidement ; ils ne se sont pas dit un mot.

DAME PLUCHE

45 Les voilà qui viennent, monseigneur. Sont-ils prévenus de vos projets ?

LE BARON

Je leur en ai touché quelques mots en particulier. Je crois qu'il serait bon, puisque les voilà réunis, de nous asseoir sous cet ombrage propice [1], et de les laisser ensemble un instant.

Il se retire avec dame Pluche.
Entrent Camille et Perdican.

PERDICAN

50 Sais-tu que cela n'a rien de beau, Camille, de m'avoir refusé un baiser ?

CAMILLE

Je suis comme cela ; c'est ma manière.

PERDICAN

Veux-tu mon bras, pour faire un tour dans le village ?

CAMILLE

Non, je suis lasse.

PERDICAN

55 Cela ne te ferait pas plaisir de revoir la prairie ? Te souviens-tu de nos parties sur le bateau ? Viens, nous descendrons jusqu'aux moulins ; je tiendrai les rames, et toi le gouvernail.

CAMILLE

Je n'en ai nulle envie.

---

1. *Propice* : favorable.

PERDICAN

Tu me fends l'âme. Quoi ! pas un souvenir, Camille ? pas un
60 battement de cœur pour notre enfance, pour tout ce pauvre temps
passé, si bon, si doux, si plein de niaiseries délicieuses ? Tu ne veux
pas venir voir le sentier par où nous allions à la ferme ?

CAMILLE

Non, pas ce soir.

PERDICAN

Pas ce soir ! et quand donc ? Toute notre vie est là.

CAMILLE

65 Je ne suis ni assez jeune pour m'amuser de mes poupées, ni
assez vieille pour aimer le passé.

PERDICAN

Comment dis-tu cela [1] ?

CAMILLE

Je dis que les souvenirs d'enfance ne sont pas de mon goût.

PERDICAN

Cela t'ennuie ?

CAMILLE

70 Oui, cela m'ennuie.

PERDICAN

Pauvre enfant ! Je te plains sincèrement.

Ils sortent chacun de leur côté.

LE BARON, *rentrant avec dame Pluche.*

Vous le voyez, et vous l'entendez, excellente Pluche ; je m'attendais à la plus suave [2] harmonie, et il me semble assister à un concert

---

1. *Comment dis-tu cela* : dans quel sens, que veux-tu dire par là.
2. *Suave* : douce, délicieuse.

où le violon joue « Mon cœur soupire [1] », pendant que la flûte joue
75 « Vive Henri IV [2] ».

Songez à la discordance affreuse qu'une pareille combinaison
produirait. Voilà pourtant ce qui se passe dans mon cœur.

DAME PLUCHE

Je l'avoue ; il m'est impossible de blâmer Camille, et rien n'est
de plus mauvais ton, à mon sens, que les parties de bateau.

LE BARON

80 Parlez-vous sérieusement ?

DAME PLUCHE

Seigneur, une jeune fille qui se respecte ne se hasarde pas sur
les pièces d'eau.

LE BARON

Mais observez donc, dame Pluche, que son cousin doit
l'épouser, et que dès lors…

DAME PLUCHE

85 Les convenances défendent de tenir un gouvernail, et il est
malséant [3] de quitter la terre ferme seule avec un jeune homme.

LE BARON

Mais je répète… je vous dis…

DAME PLUCHE

C'est là mon opinion.

---

1. « *Mon cœur soupire* » : romance que chante Chérubin dans *Les Noces de
Figaro* de Mozart (1786).
2. « *Vive Henri IV* » : chanson à boire qui figure dans *La Partie de chasse de
Henri IV* (1744) de Charles Collé (1709-1783), devenue l'hymne des roya-
listes sous la Restauration.
3. *Malséant* : contraire aux usages, choquant, incorrect.

Êtes-vous folle ? En vérité, vous me feriez dire... Il y a cer-
90 taines expressions... que je ne veux pas... qui me répugnent...
Vous me donnez envie... En vérité, si je ne me retenais... Vous
êtes une pécore [1], Pluche ! Je ne sais que penser de vous.

Il sort.

Scène 4
Une place
Le chœur, Perdican

PERDICAN

Bonjour, mes amis. Me reconnaissez-vous ?

LE CHŒUR

Seigneur, vous ressemblez à un enfant que nous avons beaucoup aimé.

PERDICAN

N'est-ce pas vous qui m'avez porté sur votre dos pour passer
5 les ruisseaux de vos prairies, vous qui m'avez fait danser sur vos
genoux, qui m'avez pris en croupe sur vos chevaux robustes, qui
vous êtes serrés quelquefois autour de vos tables pour me faire
une place au souper de la ferme ?

LE CHŒUR

Nous nous en souvenons, seigneur. Vous étiez bien le plus
10 mauvais garnement et le meilleur garçon de la terre.

PERDICAN

Et pourquoi donc alors ne m'embrassez-vous pas, au lieu de
me saluer comme un étranger ?

---

1. *Pécore* : femme sottement prétentieuse et impertinente.

LE CHŒUR

Que Dieu te bénisse, enfant de nos entrailles ! chacun de nous
voudrait te prendre dans ses bras ; mais nous sommes vieux, mon-
15 seigneur, et vous êtes un homme.

PERDICAN

Oui, il y a dix ans que je ne vous ai vus, et en un jour tout
change sous le soleil. Je me suis élevé de quelques pieds vers le
ciel, et vous vous êtes courbés de quelques pouces vers le tom-
beau. Vos têtes ont blanchi, vos pas sont devenus plus lents ;
20 vous ne pouvez plus soulever de terre votre enfant d'autrefois.
C'est donc à moi d'être votre père, à vous qui avez été les miens.

LE CHŒUR

Votre retour est un jour plus heureux que votre naissance. Il
est plus doux de retrouver ce qu'on aime, que d'embrasser un
nouveau-né.

PERDICAN

25 Voilà donc ma chère vallée ! mes noyers, mes sentiers verts, ma
petite fontaine ; voilà mes jours passés encore tout pleins de vie,
voilà le monde mystérieux des rêves de mon enfance ! Ô patrie !
patrie ! mot incompréhensible ! l'homme n'est-il donc né que pour
un coin de terre, pour y bâtir son nid et pour y vivre un jour ?

LE CHŒUR

30 On nous a dit que vous êtes un savant, monseigneur.

PERDICAN

Oui, on me l'a dit aussi. Les sciences sont une belle chose, mes
enfants ; ces arbres et ces prairies enseignent à haute voix la plus
belle de toutes, l'oubli de ce qu'on sait.

LE CHŒUR

Il s'est fait plus d'un changement pendant votre absence. Il y
35 a des filles mariées et des garçons partis pour l'armée.

PERDICAN

Vous me conterez tout cela. Je m'attends bien à du nouveau, mais en vérité je n'en veux pas encore. Comme ce lavoir est petit ! autrefois il me paraissait immense ; j'avais emporté dans ma tête un océan et des forêts, et je retrouve une goutte d'eau et des brins
40 d'herbe. Quelle est donc cette jeune fille qui chante à sa croisée derrière ces arbres ?

LE CHŒUR

C'est Rosette, la sœur de lait[1] de votre cousine Camille.

PERDICAN, *s'avançant.*

Descends vite, Rosette, et viens ici.

ROSETTE, *entrant.*

Oui, monseigneur.

PERDICAN

45 Tu me voyais de ta fenêtre, et tu ne venais pas, méchante fille ? Donne-moi vite cette main-là, et ces joues-là, que je t'embrasse.

ROSETTE

Oui, monseigneur.

PERDICAN

Es-tu mariée, petite ? On m'a dit que tu l'étais.

ROSETTE

Oh ! non.

PERDICAN

50 Pourquoi ? Il n'y a pas dans le village de plus jolie fille que toi. Nous te marierons, mon enfant.

---

1. *Sœur de lait* : voir note 2, p. 22.

LE CHŒUR

Monseigneur, elle veut mourir fille.

PERDICAN

Est-ce vrai, Rosette ?

ROSETTE

Oh ! non.

PERDICAN

55   Ta sœur Camille est arrivée. L'as-tu vue ?

ROSETTE

Elle n'est pas encore venue par ici.

PERDICAN

Va-t'en vite mettre ta robe neuve, et viens souper au château.

Scène 5

Une salle
Entrent le Baron et maître Blazius

MAÎTRE BLAZIUS

Seigneur, j'ai un mot à vous dire ; le curé de la paroisse est un ivrogne.

LE BARON

Fi [1] donc ! cela ne se peut pas.

MAÎTRE BLAZIUS

J'en suis certain ; il a bu à dîner trois bouteilles de vin.

LE BARON

5   Cela est exorbitant.

---

1. *Fi* : interjection marquant le dédain, le mépris.

MAÎTRE BLAZIUS

Et en sortant de table, il a marché sur les plates-bandes.

LE BARON

Sur les plates-bandes ? – Je suis confondu. – Voilà qui est étrange ! – Boire trois bouteilles de vin à dîner ! marcher sur les plates-bandes ? c'est incompréhensible. Et pourquoi ne marchait-
10 il pas dans l'allée ?

MAÎTRE BLAZIUS

Parce qu'il allait de travers.

LE BARON, *à part.*

Je commence à croire que Bridaine avait raison ce matin. Ce Blazius sent le vin d'une manière horrible.

MAÎTRE BLAZIUS

De plus, il a mangé beaucoup ; sa parole était embarrassée.

LE BARON

15 Vraiment, je l'ai remarqué aussi.

MAÎTRE BLAZIUS

Il a lâché quelques mots latins ; c'étaient autant de solé-cismes [1]. Seigneur, c'est un homme dépravé [2].

LE BARON, *à part.*

Pouah ! ce Blazius a une odeur qui est intolérable. – Apprenez, gouverneur [3], que j'ai bien autre chose en tête, et que je ne me mêle
20 jamais de ce qu'on boit ni de ce qu'on mange. Je ne suis point un majordome [4].

---

1. *Solécismes* : fautes de syntaxe.
2. *Dépravé* : moralement corrompu, plein de vices.
3. *Gouverneur* : voir note 1, p. 22.
4. *Majordome* : maître d'hôtel.

MAÎTRE BLAZIUS

À Dieu ne plaise que je vous déplaise, monsieur le Baron ;
votre vin est bon.

LE BARON

Il y a de bon vin dans mes caves.

MAÎTRE BRIDAINE, *entrant.*

25   Seigneur, votre fils est sur la place, suivi de tous les polissons
du village.

LE BARON

Cela est impossible.

MAÎTRE BRIDAINE

Je l'ai vu de mes propres yeux. Il ramassait des cailloux pour
faire des ricochets.

LE BARON

30   Des ricochets ? ma tête s'égare ; voilà mes idées qui se
bouleversent. Vous me faites un rapport insensé, Bridaine. Il est
inouï qu'un docteur[1] fasse des ricochets.

MAÎTRE BRIDAINE

Mettez-vous à la fenêtre, monseigneur, vous le verrez de vos
propres yeux.

LE BARON, *à part.*

35   Ô ciel ! Blazius a raison ; Bridaine va de travers.

MAÎTRE BRIDAINE

Regardez, monseigneur, le voilà au bord du lavoir. Il tient
sous le bras une jeune paysanne.

---

1. *Docteur* : voir note 1, p. 24.

LE BARON

Une jeune paysanne ? Mon fils vient-il ici pour débaucher mes
vassales[1] ? Une paysanne sous son bras ! et tous les gamins du
40 village autour de lui ! Je me sens hors de moi.

MAÎTRE BRIDAINE

Cela crie vengeance.

LE BARON

Tout est perdu ! – perdu sans ressource ! – Je suis perdu :
Bridaine va de travers, Blazius sent le vin à faire horreur, et mon
fils séduit toutes les filles du village en faisant des ricochets.

Il sort.

---

1. *Vassales* : voir note 6, p. 29.

Acte II

Scène 1

Un jardin
Entrent maître Blazius et Perdican

MAÎTRE BLAZIUS

Seigneur, votre père est au désespoir.

PERDICAN

Pourquoi cela ?

MAÎTRE BLAZIUS

Vous n'ignorez pas qu'il avait formé le projet de vous unir à votre cousine Camille ?

PERDICAN

5   Eh bien ? – Je ne demande pas mieux.

MAÎTRE BLAZIUS

Cependant le Baron croit remarquer que vos caractères ne s'accordent pas.

PERDICAN

Cela est malheureux ; je ne puis refaire le mien.

MAÎTRE BLAZIUS

Rendrez-vous par là ce mariage impossible ?

PERDICAN

10   Je vous répète que je ne demande pas mieux que d'épouser
Camille. Allez trouver le Baron et dites-lui cela.

MAÎTRE BLAZIUS

Seigneur, je me retire : voilà votre cousine qui vient de ce côté.

Il sort.
Entre Camille.

PERDICAN

Déjà levée, cousine ? J'en suis toujours pour ce que je t'ai dit
hier ; tu es jolie comme un cœur.

CAMILLE

15   Parlons sérieusement, Perdican ; votre père veut nous marier.
Je ne sais ce que vous en pensez ; mais je crois bien faire en vous
prévenant que mon parti est pris là-dessus.

PERDICAN

Tant pis pour moi si je vous déplais.

CAMILLE

Pas plus qu'un autre ; je ne veux pas me marier : il n'y a rien
20   là dont votre orgueil doive souffrir.

PERDICAN

L'orgueil n'est pas mon fait ; je n'en estime ni les joies ni les
peines.

CAMILLE

Je suis venue ici pour recueillir le bien de ma mère ; je
retourne demain au couvent.

PERDICAN

25 Il y a de la franchise dans ta démarche ; touche là, et soyons
bons amis.

CAMILLE

Je n'aime pas les attouchements [1].

PERDICAN, *lui prenant la main*.

Donne-moi ta main, Camille, je t'en prie. Que crains-tu de
moi ? Tu ne veux pas qu'on nous marie ? Eh bien ! ne nous
30 marions pas ; est-ce une raison pour nous haïr ? ne sommes-nous
pas le frère et la sœur ? Lorsque ta mère a ordonné ce mariage
dans son testament, elle a voulu que notre amitié fût éternelle,
voilà tout ce qu'elle a voulu ; pourquoi nous marier ? voilà ta
main et voilà la mienne ; et pour qu'elles restent unies ainsi jus-
35 qu'au dernier soupir, crois-tu qu'il nous faille un prêtre ? Nous
n'avons besoin que de Dieu.

CAMILLE

Je suis bien aise que mon refus vous soit indifférent.

PERDICAN

Il ne m'est point indifférent, Camille. Ton amour m'eût donné
la vie, mais ton amitié m'en consolera [2]. Ne quitte pas le château
40 demain ; hier, tu as refusé de faire un tour de jardin, parce que tu
voyais en moi un mari dont tu ne voulais pas. Reste ici quelques
jours ; laisse-moi espérer que notre vie passée n'est pas morte à
jamais dans ton cœur.

CAMILLE

Je suis obligée de partir.

PERDICAN

45 Pourquoi ?

---

1. *Attouchements* : action de toucher avec la main.
2. *M'en consolera* : me consolera de n'avoir pas obtenu ton amour.

CAMILLE

C'est mon secret.

PERDICAN

En aimes-tu un autre que moi ?

CAMILLE

Non ; mais je veux partir.

PERDICAN

Irrévocablement[1] ?

CAMILLE

50   Oui, irrévocablement.

PERDICAN

Eh bien ! adieu. J'aurais voulu m'asseoir avec toi sous les marronniers du petit bois, et causer de bonne amitié une heure ou deux. Mais si cela te déplaît, n'en parlons plus ; adieu, mon enfant.

Il sort.

CAMILLE, *à dame Pluche qui entre.*

55   Dame Pluche, tout est-il prêt ? Partirons-nous demain ? Mon tuteur a-t-il fini ses comptes ?

DAME PLUCHE

Oui, chère colombe sans tache. Le Baron m'a traitée de pécore hier soir, et je suis enchantée de partir.

CAMILLE

Tenez ; voilà un mot d'écrit que vous porterez avant dîner, de 60 ma part, à mon cousin Perdican.

---

1. *Irrévocablement* : définitivement, d'une manière qui ne peut être modifiée.

Seigneur, mon Dieu ! est-ce possible ? Vous écrivez un billet à un homme ?

CAMILLE

Ne dois-je pas être sa femme ? Je puis bien écrire à mon fiancé.

DAME PLUCHE

Le seigneur Perdican sort d'ici. Que pouvez-vous lui écrire ?
65 Votre fiancé, miséricorde ! Serait-il vrai que vous oubliez Jésus ?

CAMILLE

Faites ce que je vous dis, et disposez[1] tout pour notre départ.

Elles sortent.

Scène 2

La salle à manger – On met le couvert
Entre maître Bridaine

MAÎTRE BRIDAINE

Cela est certain, on lui donnera encore aujourd'hui la place d'honneur. Cette chaise que j'ai occupée si longtemps à la droite du Baron sera la proie du gouverneur. Ô malheureux que je suis ! Un âne bâté[2], un ivrogne sans pudeur, me relègue au bas bout de la table[3] !
5 Le majordome lui versera le premier verre de Málaga[4], et lorsque les plats arriveront à moi, ils seront à moitié froids et les meilleurs

---

1. *Disposez* : préparez.
2. *Un âne bâté* : un âne avec tout son chargement, le bât. Au sens figuré, un ignorant.
3. *Bas bout de la table* : extrémité de la table opposée au *haut bout*, où sont assis, avec le maître de maison, les hôtes à honorer. S'y trouvent les invités les moins importants.
4. *Málaga* : vin de liqueur, nommé ainsi d'après la ville où il est produit, en Espagne.

morceaux déjà avalés ; il ne restera plus autour des perdreaux ni choux ni carottes. Ô sainte Église catholique ! Qu'on lui ait donné cette place hier, cela se concevait ; il venait d'arriver ; c'était la pre-
10 mière fois, depuis nombre d'années, qu'il s'asseyait à cette table. Dieu ! comme il dévorait ! Non, rien ne me restera que des os et des pattes de poulet. Je ne souffrirai pas cet affront. Adieu, vénérable fauteuil où je me suis renversé tant de fois, gorgé de mets succulents ! Adieu, bouteilles cachetées [1], fumet sans pareil de venaisons [2] cuites à
15 point ! Adieu, table splendide, noble salle à manger, je ne dirai plus le *Benedicite* [3] ! Je retourne à ma cure ; on ne me verra pas confondu parmi la foule des convives, et j'aime mieux, comme César, être le premier au village que le second dans Rome [4].

Il sort.

Scène 3
Un champ devant une petite maison
Entrent Rosette et Perdican

PERDICAN

Puisque ta mère n'y est pas, viens faire un tour de promenade.

ROSETTE

Croyez-vous que cela me fasse du bien, tous ces baisers que vous me donnez ?

PERDICAN

Quel mal y trouves-tu ? Je t'embrasserais devant ta mère. N'es-tu
5 pas la sœur de Camille ? ne suis-je pas ton frère comme je suis le sien ?

---

1. *Cachetées* : fermées avec un cachet de cire ; elles contiennent donc du bon vin.
2. *Venaisons* : chairs de grand gibier, comme le sanglier ou le cerf.
3. *Benedicite* : en latin, « bénissez », prière adressée à Dieu pour lui demander de bénir le repas.
4. *J'aime mieux, comme César, être le premier au village que le second dans Rome* : paroles que prononça Jules César en traversant un village des Alpes.

ROSETTE

Des mots sont des mots, et des baisers sont des baisers. Je n'ai guère d'esprit, et je m'en aperçois bien sitôt que je veux dire quelque chose. Les belles dames savent leur affaire, selon qu'on leur baise la main droite ou la main gauche ; leurs pères les
10 embrassent sur le front, leurs frères sur la joue, leurs amoureux sur les lèvres ; moi, tout le monde m'embrasse sur les deux joues, et cela me chagrine.

PERDICAN

Que tu es jolie, mon enfant !

ROSETTE

Il ne faut pas non plus vous fâcher pour cela. Comme vous
15 paraissez triste ce matin ! Votre mariage est donc manqué ?

PERDICAN

Les paysans de ton village se souviennent de m'avoir aimé ; les chiens de la basse-cour et les arbres du bois s'en souviennent aussi ; mais Camille ne s'en souvient pas. Et toi, Rosette, à quand le mariage ?

ROSETTE

20 Ne parlons pas de cela, voulez-vous ? Parlons du temps qu'il fait, de ces fleurs que voilà, de vos chevaux et de mes bonnets [1].

PERDICAN

De tout ce qui te plaira, de tout ce qui peut passer sur tes lèvres sans leur ôter ce sourire céleste [2] que je respecte plus que ma vie.

Il l'embrasse.

---

1. Bonnets : coiffes de toile empesée que portent les paysannes, et dont la forme varie selon les régions.
2. Céleste : merveilleux.

ROSETTE

Vous respectez mon sourire, mais vous ne respectez guère mes
25 lèvres, à ce qu'il me semble. Regardez donc ; voilà une goutte de
pluie qui me tombe sur la main, et cependant le ciel est pur.

PERDICAN

Pardonne-moi.

ROSETTE

Que vous ai-je fait pour que vous pleuriez ?

Ils sortent.

Scène 4

Au château
Entrent maître Blazius et le Baron

MAÎTRE BLAZIUS

Seigneur, j'ai une chose singulière à vous dire. Tout à l'heure,
j'étais par hasard dans l'office[1], je veux dire dans la galerie[2] ;
qu'aurais-je été faire dans l'office ? J'étais donc dans la galerie.
J'avais trouvé par accident une bouteille, je veux dire une carafe
5 d'eau ; comment aurais-je trouvé une bouteille dans la galerie ?
J'étais donc en train de boire un coup de vin pour passer le
temps, et je regardais par la fenêtre, entre deux vases de fleurs
qui me paraissaient d'un goût moderne, bien qu'ils soient imités
de l'étrusque[3].

---

1. *Office* : lieu où l'on prépare le service de table et où se trouvent les
boissons et les plats.
2. *Galerie* : grande salle où se trouvent exposées collections et œuvres d'art.
3. *Imités de l'étrusque* : les vase étrusques, fabriqués par les Étrusques,
peuple qui habitait en Italie l'actuelle Toscane, sont des poteries rouges,
brunes et noires.

LE BARON

10　Quelle insupportable manière de parler vous avez adoptée, Blazius! vos discours sont inexplicables[1].

MAÎTRE BLAZIUS

Écoutez-moi, seigneur, prêtez-moi un moment d'attention. Je regardais donc par la fenêtre. Ne vous impatientez pas, au nom du ciel, il y va de l'honneur de la famille.

LE BARON

15　De la famille! voilà qui est incompréhensible. De l'honneur de la famille, Blazius! Blazius! Savez-vous que nous sommes trente-sept mâles, et presque autant de femmes, tant à Paris qu'en province?

MAÎTRE BLAZIUS

Permettez-moi de continuer. Tandis que je buvais un coup de 20　vin, je veux dire un verre d'eau, pour chasser la digestion tardive, imaginez que j'ai vu passer sous la fenêtre dame Pluche hors d'haleine.

LE BARON

Pourquoi hors d'haleine, Blazius? ceci est insolite.

MAÎTRE BLAZIUS

Et à côté d'elle, rouge de colère, votre nièce Camille.

LE BARON

25　Qui était rouge de colère, ma nièce, ou dame Pluche?

MAÎTRE BLAZIUS

Votre nièce, seigneur.

---

1. _Inexplicables_ : incompréhensibles.

LE BARON

Ma nièce rouge de colère ! Cela est inouï ; et comment savez-vous que c'était de colère ? Elle pouvait être rouge pour mille raisons ; elle avait sans doute poursuivi quelques papillons dans 30 mon parterre.

MAÎTRE BLAZIUS

Je ne puis rien affirmer là-dessus, cela se peut ; mais elle s'écriait avec force : Allez-y ! trouvez-le ! faites ce qu'on vous dit ! vous êtes une sotte ! je le veux ! et elle frappait avec son éventail sur le coude de dame Pluche, qui faisait un soubresaut [1] dans la luzerne [2] à 35 chaque exclamation.

LE BARON

Dans la luzerne ! et que répondait la gouvernante aux extravagances de ma nièce ? car cette conduite mérite d'être qualifiée ainsi.

MAÎTRE BLAZIUS

La gouvernante répondait : Je ne veux pas y aller ! Je ne l'ai 40 pas trouvé ! Il fait la cour aux filles du village, à des gardeuses de dindons ! Je suis trop vieille pour commencer à porter des messages d'amour ; grâce à Dieu, j'ai vécu les mains pures jusqu'ici. – Et tout en parlant, elle froissait dans ses mains un petit papier plié en quatre.

LE BARON

45 Je n'y comprends rien ; mes idées s'embrouillent tout à fait. Quelle raison pouvait avoir dame Pluche pour froisser un papier plié en quatre en faisant des soubresauts dans une luzerne ! Je ne puis ajouter foi à de pareilles monstruosités.

---

1. *Soubresaut* : saut brusque.
2. *Luzerne* : plante herbacée à fleurs violettes, cultivée pour servir de fourrage.

MAÎTRE BLAZIUS

Ne comprenez-vous pas clairement, seigneur, ce que cela
50 signifiait ?

LE BARON

Non, en vérité, non, mon ami, je n'y comprends absolument
rien. Tout cela me paraît une conduite désordonnée, il est vrai,
mais sans motif comme sans excuse.

MAÎTRE BLAZIUS

Cela veut dire que votre nièce a une correspondance secrète.

LE BARON

55 Que dites-vous ? Songez-vous de qui vous parlez ? Pesez vos
paroles, monsieur l'abbé.

MAÎTRE BLAZIUS

Je les pèserais dans la balance céleste qui doit peser mon âme
au jugement dernier, que je n'y trouverais pas un mot qui sente la
fausse monnaie. Votre nièce a une correspondance secrète.

LE BARON

60 Mais songez donc, mon ami, que cela est impossible.

MAÎTRE BLAZIUS

Pourquoi aurait-elle chargé sa gouvernante d'une lettre ? Pourquoi aurait-elle crié : Trouvez-le ! tandis que l'autre boudait et
rechignait ?

LE BARON

Et à qui était adressée cette lettre ?

MAÎTRE BLAZIUS

65 Voilà précisément le *hic*, monseigneur, *hic jacet lepus* [1]. À qui
était adressée cette lettre ? à un homme qui fait la cour à une

---

1. *Hic jacet lepus* : «Ici gît le lièvre», expression latine passée en proverbe ;
autrement dit, là réside la difficulté, là est le nœud de l'affaire.

gardeuse de dindons. Or, un homme qui recherche en public une gardeuse de dindons peut être soupçonné violemment d'être né pour les garder lui-même. Cependant il est impossible que votre
70 nièce, avec l'éducation qu'elle a reçue, soit éprise d'un pareil homme ; voilà ce que je dis, et ce qui fait que je n'y comprends rien non plus que vous, révérence parler [1].

LE BARON

Ô ciel ! ma nièce m'a déclaré ce matin même qu'elle refusait son cousin Perdican. Aimerait-elle un gardeur de dindons ?
75 Passons dans mon cabinet ; j'ai éprouvé depuis hier des secousses si violentes, que je ne puis rassembler mes idées.

Ils sortent.

Scène 5

Une fontaine dans un bois
Entre Perdican, lisant un billet

PERDICAN

« Trouvez-vous à midi à la petite fontaine... » Que veut dire cela ? tant de froideur, un refus si positif, si cruel, un orgueil si insensible, et un rendez-vous par-dessus tout ? Si c'est pour me parler d'affaires, pourquoi choisir un pareil endroit ? Est-ce une
5 coquetterie [2] ? Ce matin, en me promenant avec Rosette, j'ai entendu remuer dans les broussailles, et il m'a semblé que c'était un pas de biche. Y a-t-il ici quelque intrigue ?

Entre Camille.

CAMILLE

Bonjour, cousin ; j'ai cru m'apercevoir, à tort ou à raison, que vous me quittiez tristement ce matin. Vous m'avez pris la main

---

1. *Révérence parler* : pour parler avec le respect que je vous dois.
2. *Une coquetterie* : le manège d'une femme coquette.

10 malgré moi, je viens vous demander de me donner la vôtre. Je vous
ai refusé un baiser, le voilà.

Elle l'embrasse.

Maintenant, vous m'avez dit que vous seriez bien aise de
causer de bonne amitié. Asseyez-vous là, et causons.

Elle s'assoit.

PERDICAN

Avais-je fait un rêve, ou en fais-je un autre en ce moment ?

CAMILLE

15 Vous avez trouvé singulier de recevoir un billet de moi, n'est-
ce pas ? Je suis d'humeur changeante ; mais vous m'avez dit ce
matin un mot très juste : « Puisque nous nous quittons, quittons-
nous bons amis. » Vous ne savez pas la raison pour laquelle je
pars, et je viens vous la dire : je vais prendre le voile.

PERDICAN

20 Est-ce possible ? Est-ce toi, Camille, que je vois dans cette
fontaine, assise sur les marguerites, comme aux jours d'autrefois ?

CAMILLE

Oui, Perdican, c'est moi. Je viens revivre un quart d'heure de
la vie passée. Je vous ai paru brusque et hautaine ; cela est tout
simple, j'ai renoncé au monde. Cependant, avant de le quitter, je
25 serais bien aise d'avoir votre avis. Trouvez-vous que j'aie raison
de me faire religieuse ?

PERDICAN

Ne m'interrogez pas là-dessus, car je ne me ferai jamais
moine.

CAMILLE

Depuis près de dix ans que nous avons vécu éloignés l'un de
30 l'autre, vous avez commencé l'expérience de la vie. Je sais quel
homme vous êtes, et vous devez avoir appris beaucoup en peu de

temps avec un cœur et un esprit comme les vôtres. Dites-moi, avez-vous eu des maîtresses ?

PERDICAN

Pourquoi cela ?

CAMILLE

35 Répondez-moi, je vous en prie, sans modestie et sans fatuité[1].

PERDICAN

J'en ai eu.

CAMILLE

Les avez-vous aimées ?

PERDICAN

De tout mon cœur.

CAMILLE

Où sont-elles maintenant ? Le savez-vous ?

PERDICAN

40 Voilà, en vérité, des questions singulières. Que voulez-vous que je vous dise ? Je ne suis ni leur mari ni leur frère ; elles sont allées où bon leur a semblé.

CAMILLE

Il doit nécessairement y en avoir une que vous ayez préférée aux autres. Combien de temps avez-vous aimé celle que vous avez
45 aimée le mieux ?

PERDICAN

Tu es une drôle de fille ; veux-tu te faire mon confesseur ?

---

1. Fatuité : satisfaction ridicule de soi-même.

CAMILLE

C'est une grâce que je vous demande, de me répondre sincèrement. Vous n'êtes point un libertin [1], et je crois que votre cœur a de la probité [2]. Vous avez dû inspirer l'amour, car vous le
50 méritez, et vous ne vous seriez pas livré à un caprice. Répondez-moi, je vous en prie.

PERDICAN

Ma foi, je ne m'en souviens pas.

CAMILLE

Connaissez-vous un homme qui n'ait aimé qu'une femme ?

PERDICAN

Il y en a certainement.

CAMILLE

55 Est-ce un de vos amis ? Dites-moi son nom.

PERDICAN

Je n'ai pas de nom à vous dire ; mais je crois qu'il y a des hommes capables de n'aimer qu'une fois.

CAMILLE

Combien de fois un honnête homme peut-il aimer ?

PERDICAN

Veux-tu me faire réciter une litanie [3], ou récites-tu toi-même un
60 catéchisme [4] ?

---

1. Libertin : débauché.

2. Probité : honnêteté.

3. Litanie : énumération pénible ; employé au pluriel : suite de courtes invocations à Dieu, à la Vierge ou aux saints.

4. Un catéchisme : dès la fin du XVIe siècle, les leçons du catéchisme étaient présentées sous forme de questions-réponses pour en faciliter l'apprentissage par tous.

CAMILLE

Je voudrais m'instruire, et savoir si j'ai tort ou raison de me faire religieuse. Si je vous épousais, ne devriez-vous pas répondre avec franchise à toutes mes questions, et me montrer votre cœur à nu ? Je vous estime beaucoup, et je vous crois, par votre éducation et par votre nature, supérieur à beaucoup d'autres hommes. Je suis fâchée que vous ne vous souveniez plus de ce que je vous demande ; peut-être en vous connaissant mieux je m'enhardirais [1].

PERDICAN

Où veux-tu en venir ? parle ; je répondrai.

CAMILLE

Répondez donc à ma première question. Ai-je raison de rester au couvent ?

PERDICAN

Non.

CAMILLE

Je ferais donc mieux de vous épouser ?

PERDICAN

Oui.

CAMILLE

Si le curé de votre paroisse soufflait sur un verre d'eau, et vous disait que c'est un verre de vin, le boiriez-vous comme tel ?

PERDICAN

Non.

CAMILLE

Si le curé de votre paroisse soufflait sur vous, et me disait que vous m'aimerez toute votre vie, aurais-je raison de le croire ?

---

1. *Je m'enhardirais* : j'oserais davantage, deviendrais plus audacieuse.

Aux sources de la pièce, la passion de Musset pour George Sand

À l'âge de vingt-deux ans, lors d'un souper parisien, Musset croise la romancière George Sand (1804-1876). De cette rencontre naît une brève passion, que les amants vivent à Venise entre décembre 1833 et mars 1834. Leur relation, orageuse, s'achève brutalement : Musset tombe malade et Sand le trahit avec le médecin appelé à son chevet. Rongé par la jalousie, le poète repart d'Italie. Le pessimisme qui se dégage d'*On ne badine pas avec l'amour* porte les stigmates de cet échec amoureux. Au cœur de la pièce, Musset cite la lettre que Sand lui a adressée après leur rupture (voir présentation, p. 6).

▶ Extrait de la lettre que Sand adresse à Musset après leur rupture (12 mai 1834).

j'ai souffert souvent, je me suis trompé quelquefois mais j'ai aimé. c'est moi qui ai vécu, et non pas un être factice créé par mon orgueil et mon ennui.

▲ Portrait de George Sand par Musset, 1833.

▶ Dans ce tableau anonyme et sans titre, tout incite à penser que le personnage représenté est Musset, qui revint de Venise en traversant les Alpes, paysage caractéristique où s'exprime la sensibilité romantique. Le visage mélancolique et l'élégance de la pose laissent transparaître la douleur de la rupture amoureuse.

Un drame romantique à la croisée de plusieurs héritages

L'une des premières pièces de Musset, *La Nuit vénitienne*, a été sifflée et huée lors de sa création en 1830. À la suite de ce revers, s'il ne renonce pas au théâtre, Musset décide qu'il n'écrira plus pour être joué mais pour être lu. Il crée ainsi une nouvelle forme de drame romantique, qui puise à des inspirations diverses.

Le marivaudage

Musset reprend la tradition du proverbe dramatique, jeu de salon très prisé au XVIIIe siècle (voir présentation, p. 9). Ses premiers illustrateurs et metteurs en scène soulignent ce qu'*On ne badine pas avec l'amour* doit à l'œuvre du dramaturge Marivaux (1688-1763), notamment la maîtrise subtile du langage.

ON NE BADINE PAS AVEC L'AMOUR
(Acte III, Scène III)

▲ Dessin de Charles Delort (1841-1895) gravé par Émile Boilvin (1845-1899), « Perdican offre sa chaîne à Rosette », *Théâtre d'Alfred de Musset*, Librairie des Bibliophiles, 1890, t. II.

▼ Edmond-Louis Dupain (1847-1933), *Portrait de Delaunay en Perdican*, Paris, Comédie-Française. L'acteur Louis-Arsène Delaunay (1826-1903), l'un des premiers interprètes de Perdican, porte ici un habit du XVIIIe siècle. Jusqu'aux années 1940, les metteurs en scène de la Comédie-Française choisissent généralement de représenter *On ne badine pas avec l'amour* dans des costumes de l'époque de Marivaux.

Le chœur antique

L'inspiration de Musset ne se limite pas au marivaudage ; elle puise aussi dans le théâtre antique. Ainsi son drame romantique recourt-il à la présence d'un chœur, élément hérité de la tragédie grecque, qui commente l'intrigue.

◀ En 1977, dans la mise en scène de Simon Eine à la Comédie-Française, le chœur est incarné par un seul acteur. Il entre en scène, un livre à la main, pour raconter aux jeunes paysans le drame qui se serait déroulé dix ans auparavant.

Shakespeare et l'esthétique des contraires

Musset revendique aussi l'héritage du dramaturge anglais William Shakespeare (1564-1616) pour créer Dame Pluche, Maître Blazius et Maître Bridaine, les personnages de fantoches. Il est proche en cela de Victor Hugo, le chef de file du romantisme, qui affirme : « Shakespeare, c'est le drame [...] qui fond sous un même souffle le grotesque et le sublime, le terrible et le bouffon, la tragédie et la comédie » (préface de *Cromwell*).

▶ Mise en scène d'Yves Beaunesne, Paris, Comédie-Française, 2011.

Questions

1. Dans la photographie 2, identifiez les personnages.
   Quelle interprétation du dénouement la mise en scène nous livre-t-elle ?

2. En vous appuyant sur les autres clichés du même spectacle (p. 6 et 8), expliquez à quelle génération le metteur en scène souhaite rattacher Perdican, Camille et Rosette.

3. Comment Yves Beaunesne parvient-il, selon ses propres termes, à donner à voir « une situation [...] représentative d'un manque abyssal d'échange entre les âges * » ?

On ne badine pas avec l'amour en décors

La comparaison de différents décors permet de retracer l'évolution des interprétations et de la scénographie.

▲ Maquettes planes pour la mise en scène de Jean Berque, Paris, Comédie-Française, 1954. Jean Berque propose une série de décors influencés successivement par l'esthétique du jardin à la française et celle du jardin à l'anglaise, afin d'ancrer la pièce dans un siècle passé.

En 1977, Simon Eine et le scénographe Hubert Monloup élaborent un décor unique, inspiré des toiles du peintre romantique Caspar David Friedrich (1774-1840). Seuls quelques éléments (l'arbre, la fontaine, ou une immense colonne gothique qui descend des cintres à l'acte III) viennent suggérer la multiplicité des lieux dans lesquels se déroule l'intrigue.

Caspar David Friedrich, *Le Rêveur*, entre 1820 et 1840, musée de l'Ermitage, Saint-Pétersbourg.

Tournant le dos aux reconstitutions historiques, deux metteurs en scène contemporains adoptent un parti pris radicalement différent.

❸ ◀ Mise en scène de Philippe Faure, Lyon, théâtre de la Croix-Rousse, 2006. Philippe Faure laisse le plateau entièrement vide : « Pour tout décor, j'ai choisi un pré en pente, vert cru, absolument vide. Je voulais dégager cette œuvre de poète de toute référence réaliste. De même pour les costumes, tous noirs : ils révèlent la situation sociale des personnages, sans pléonasme*. »

© Bruno Amsellem / Signatures

❹

▶ Mise en scène d'Yves Beaunesne, Paris, théâtre du Vieux Colombier (Comédie Française), 2011 : la pièce se déroule dans une grande salle de billard.

© Brigitte Enguérand / Divergence

Questions

1. Par quoi est figurée la fontaine sur la photographie 4 ?
   Pourquoi ne peut-on la voir que dans le miroir ?

2. Selon vous, à quoi sert le rideau ?

3. Comparez les décors et les costumes dans les photographies 3 et 4.
   Quel parti pris vous semble le plus adapté ? Justifiez votre réponse.

Triomphe de l'orgueil
ou tragédie des sentiments ?

Peut-on réduire *On ne badine pas avec l'amour* à son sous-titre, *Le Triomphe de l'orgueil*, comme le suggère ce dessin de presse rapidement croqué à l'issue d'une représentation ? Ne s'agit-il pas plutôt « de faire passer à chaque instant l'auditoire du sérieux au rire, [...] du grave au doux, du plaisant au sévère », selon les mots de Victor Hugo ? Car le drame, « c'est le grotesque avec le sublime, l'âme sous le corps, c'est une tragédie sous une comédie »*.

◀ Dessin d'Yves Marevéry, « Julia Bartet et Charles Le Bargy dans *On ne badine pas avec l'amour* », 1906.

Loin de figer les personnages, Yves Beaunesne fait se mouvoir les acteurs dans une sorte de danse qui leur permet d'exprimer à la fois le désir et le refus de céder, la proximité et l'éloignement, la séduction et le défi.

▲▶ Marion Malenfant dans le rôle de Camille, acte II, scène 5, et acte III, scène 6, mise en scène d'Yves Beaunesne, Paris, Théâtre éphémère de la Comédie-Française, 2012.

Questions

1. Dans les deux photographies de cette page, décrivez Camille : en quoi le changement de costume exprime-t-il l'évolution du personnage entre l'acte II et l'acte III ?

2. Comment sont suggérés les thèmes de l'orgueil et de la passion ? Analysez la gestuelle des acteurs.

3. Dans chaque document, quel détail vous semble le plus frappant ?

PERDICAN

Oui et non.

CAMILLE

80 Que me conseilleriez vous de faire, le jour où je verrais que vous ne m'aimez plus ?

PERDICAN

De prendre un amant.

CAMILLE

Que ferai-je ensuite, le jour où mon amant ne m'aimera plus ?

PERDICAN

Tu en prendras un autre.

CAMILLE

85 Combien de temps cela durera-t-il ?

PERDICAN

Jusqu'à ce que tes cheveux soient gris, et alors les miens seront blancs.

CAMILLE

Savez-vous ce que c'est que les cloîtres [1], Perdican ? Vous êtes-vous jamais assis un jour entier sur le banc [2] d'un monastère de
90 femmes ?

PERDICAN

Oui, je m'y suis assis.

---

1. *Cloître* : lieu situé à l'intérieur d'un monastère ou contigu à certaines églises, comportant une galerie à colonnes bordant une cour ou un jardin carré. Ici, par métonymie, un monastère.
2. *Banc* : celui sur lequel s'échangent les confidences des religieuses.

CAMILLE

J'ai pour amie une sœur qui n'a que trente ans, et qui a eu cinq
cent mille livres de revenu à l'âge de quinze ans. C'est la plus belle
et la plus noble créature qui ait marché sur terre. Elle était pairesse
95 du Parlement[1], et avait pour mari un des hommes les plus distin-
gués de France. Aucune des nobles facultés humaines n'était restée
sans culture en elle, et, comme un arbrisseau d'une sève choisie,
tous ses bourgeons avaient donné des ramures. Jamais l'amour et
le bonheur ne poseront leur couronne fleurie sur un front plus
100 beau ; son mari l'a trompée ; elle a aimé un autre homme, et elle
se meurt de désespoir.

PERDICAN

Cela est possible.

CAMILLE

Nous habitons la même cellule, et j'ai passé des nuits entières à
parler de ses malheurs ; ils sont presque devenus les miens ; cela
105 est singulier, n'est-ce pas ? Je ne sais trop comment cela se fait.
Quand elle me parlait de son mariage, quand elle me peignait
d'abord l'ivresse des premiers jours, puis la tranquillité des autres,
et comme enfin tout s'était envolé ; comme elle était assise le soir
au coin du feu, et lui auprès de la fenêtre, sans se dire un seul mot,
110 comme leur amour avait langui, et comme tous les efforts pour se
rapprocher n'aboutissaient qu'à des querelles ; comme une figure
étrangère est venue peu à peu se placer entre eux et se glisser dans
leurs souffrances, c'était moi que je voyais agir tandis qu'elle parlait. Quand elle disait : Là j'ai été heureuse, mon cœur bondissait ;
115 et quand elle ajoutait : Là j'ai pleuré, mes larmes coulaient. Mais

---

1. *Pairesse du Parlement* : on dit à tort que ce titre n'existe qu'en
Angleterre, où on est « pair du Royaume ». Musset songe peut-être au couvent
des ursulines anglaises où George Sand acheva son éducation de 1818 à
1820. Une pairesse est la femme d'un pair, qui est le seigneur d'une terre
érigée en pairie, membre de droit du Parlement.

figurez-vous quelque chose de plus singulier encore ; j'avais fini
par me créer une vie imaginaire ; cela a duré quatre ans ; il est
inutile de vous dire par combien de réflexions, de retours sur moi-
même, tout cela est venu. Ce que je voulais vous raconter, comme
120 une curiosité, c'est que tous les récits de Louise, toutes les fictions
de mes rêves portaient votre ressemblance.

PERDICAN

Ma ressemblance, à moi ?

CAMILLE

Oui, et cela est naturel : vous étiez le seul homme que j'eusse
connu. En vérité, je vous ai aimé, Perdican.

PERDICAN

125 Quel âge as-tu, Camille ?

CAMILLE

Dix-huit ans.

PERDICAN

Continue, continue ; j'écoute.

CAMILLE

Il y a deux cents femmes dans notre couvent ; un petit nombre
de ces femmes ne connaîtra jamais la vie, et tout le reste attend la
130 mort. Plus d'une parmi elles sont sorties du monastère comme
j'en sors aujourd'hui, vierges et pleines d'espérances. Elles sont
revenues peu de temps après, vieilles et désolées. Tous les jours il
en meurt dans nos dortoirs, et tous les jours il en vient de nouvelles prendre la place des mortes sur les matelas de crin. Les
135 étrangers qui nous visitent admirent le calme et l'ordre de la maison ; ils regardent attentivement la blancheur de nos voiles ; mais
ils se demandent pourquoi nous les rabaissons sur nos yeux. Que
pensez-vous de ces femmes, Perdican ? Ont-elles tort, ou ont-elles
raison ?

140   Je n'en sais rien.

CAMILLE

Il s'en est trouvé quelques-unes qui me conseillent de rester vierge. Je suis bien aise de vous consulter. Croyez-vous que ces femmes-là auraient mieux fait de prendre un amant et de me conseiller d'en faire autant ?

PERDICAN

145   Je n'en sais rien.

CAMILLE

Vous aviez promis de me répondre.

PERDICAN

J'en suis dispensé tout naturellement ; je ne crois pas que ce soit toi qui parles.

CAMILLE

Cela se peut, il doit y avoir dans toutes mes idées des choses
150   très ridicules. Il se peut bien qu'on m'ait fait la leçon, et que je ne sois qu'un perroquet mal appris. Il y a dans la galerie un petit tableau qui représente un moine courbé sur un missel[1] ; à travers les barreaux obscurs de sa cellule glisse un faible rayon de soleil, et on aperçoit une locanda[2] italienne devant laquelle danse un
155   chevrier[3]. Lequel de ces deux hommes estimez-vous davantage ?

PERDICAN

Ni l'un ni l'autre et tous les deux. Ce sont deux hommes de chair et d'os ; il y en a un qui lit, et un autre qui danse ; je n'y vois pas autre chose. Tu as raison de te faire religieuse.

---

1. *Missel* : livre de messe.
2. *Locanda* : en italien, auberge.
3. *Chevrier* : berger qui mène paître les chèvres.

CAMILLE

Vous me disiez non tout à l'heure.

PERDICAN

160   Ai-je dit non ? Cela est possible.

CAMILLE

Ainsi vous me le conseillez ?

PERDICAN

Ainsi tu ne crois à rien ?

CAMILLE

Lève la tête, Perdican : quel est l'homme qui ne croit à rien ?

PERDICAN, *se levant.*

En voilà un ; je ne crois pas à la vie immortelle. – Ma sœur
165   chérie, les religieuses t'ont donné leur expérience ; mais, crois-
moi, ce n'est pas la tienne ; tu ne mourras pas sans aimer.

CAMILLE

Je veux aimer, mais je ne veux pas souffrir ; je veux aimer d'un
amour éternel, et faire des serments qui ne se violent pas. Voilà
mon amant.

Elle montre son crucifix.

PERDICAN

170   Cet amant-là n'exclut pas les autres.

CAMILLE

Pour moi, du moins, il les exclura. Ne souriez pas, Perdican !
Il y a dix ans que je ne vous ai vu, et je pars demain. Dans dix
autres années, si nous nous revoyons, nous en reparlerons. J'ai
voulu ne pas rester dans votre souvenir comme une froide statue ;
175   car l'insensibilité mène au point où j'en suis. Écoutez-moi : retour-
nez à la vie, et tant que vous serez heureux, tant que vous aimerez

comme on peut aimer sur la terre, oubliez votre sœur Camille ;
mais s'il vous arrive jamais d'être oublié ou d'oublier vous-même,
si l'ange de l'espérance vous abandonne, lorsque vous serez seul
180 avec le vide dans le cœur, pensez à moi qui prierai pour vous.

PERDICAN

Tu es une orgueilleuse ; prends garde à toi.

CAMILLE

Pourquoi ?

PERDICAN

Tu as dix-huit ans, et tu ne crois pas à l'amour !

CAMILLE

Y croyez-vous, vous qui parlez ? Vous voilà courbé près de
185 moi avec des genoux qui se sont usés sur les tapis de vos maîtresses, et vous n'en savez plus le nom. Vous avez pleuré des
larmes de joie et des larmes de désespoir ; mais vous saviez que
l'eau des sources est plus constante que vos larmes, et qu'elle
serait toujours là pour laver vos paupières gonflées. Vous faites
190 votre métier de jeune homme, et vous souriez quand on vous
parle de femmes désolées ; vous ne croyez pas qu'on puisse mourir d'amour, vous qui vivez et qui avez aimé. Qu'est-ce donc que
le monde ? Il me semble que vous devez cordialement mépriser
les femmes qui vous prennent tels que vous êtes, et qui chassent
195 leur dernier amant pour vous attirer dans leurs bras avec les baisers d'un autre sur les lèvres. Je vous demandais tout à l'heure si
vous aviez aimé ; vous m'avez répondu comme un voyageur à qui
l'on demanderait s'il a été en Italie ou en Allemagne, et qui dirait :
Oui, j'y ai été ; puis qui penserait à aller en Suisse, ou dans le
200 premier pays venu. Est-ce donc une monnaie que votre amour,
pour qu'il puisse passer ainsi de main en main jusqu'à la mort ?
Non, ce n'est pas même une monnaie ; car la plus mince pièce

d'or vaut mieux que vous, et dans quelque main qu'elle passe, elle garde son effigie[1].

PERDICAN

205   Que tu es belle, Camille, lorsque tes yeux s'animent !

CAMILLE

Oui, je suis belle, je le sais. Les complimenteurs ne m'apprendront rien : la froide nonne[2] qui coupera mes cheveux pâlira peut-être de sa mutilation ; mais ils ne se changeront pas en bagues et en chaînes pour courir les boudoirs[3] ; il n'en manquera pas un
210 seul sur ma tête, lorsque le fer y passera ; je ne veux qu'un coup de ciseau, et quand le prêtre qui me bénira me mettra au doigt l'anneau d'or de mon époux céleste[4], la mèche de cheveux que je lui donnerai pourra lui servir de manteau.

PERDICAN

Tu es en colère, en vérité.

CAMILLE

215 J'ai eu tort de parler ; j'ai ma vie entière sur les lèvres. Ô Perdican ! ne raillez pas ; tout cela est triste à mourir.

PERDICAN

Pauvre enfant, je te laisse dire, et j'ai bien envie de te répondre un mot. Tu me parles d'une religieuse qui me paraît avoir eu sur toi une influence funeste[5] ; tu dis qu'elle a été trompée, qu'elle a

---

1. *Effigie* : représentation du visage d'une personne sur une pièce de monnaie, sur une médaille.
2. *Nonne* : religieuse.
3. *Boudoirs* : petits salons élégants, où la maîtresse de maison reçoit ses intimes, ses familiers.
4. Musset décrit ici le rite de la cérémonie d'entrée en religion. Le Christ est l'époux céleste ou mystique des religieuses qui portent un anneau pour symboliser cette union.
5. *Funeste* : dangereuse, néfaste.

220 trompé elle-même, et qu'elle est désespérée. Es-tu sûre que si son mari ou son amant revenait lui tendre la main à travers la grille du parloir, elle ne lui tendrait pas la sienne ?

CAMILLE

Qu'est-ce que vous dites ? J'ai mal entendu.

PERDICAN

Es-tu sûre que si son mari ou son amant revenait lui dire de
225 souffrir encore, elle répondrait non ?

CAMILLE

Je le crois, je le crois.

PERDICAN

Il y a deux cents femmes dans ton monastère, et la plupart ont au fond du cœur des blessures profondes ; elles te les ont fait toucher, et elles ont coloré ta pensée virginale [1] des gouttes de leur
230 sang. Elles ont vécu, n'est-ce pas ? et elles t'ont montré avec horreur la route de leur vie ; tu t'es signée devant leurs cicatrices, comme devant les plaies de Jésus ; elles t'ont fait une place dans leurs processions lugubres, et tu te serres contre ces corps décharnés [2] avec une crainte religieuse, lorsque tu vois passer un homme.
235 Es-tu sûre que si l'homme qui passe était celui qui les a trompées, celui pour qui elles pleurent et elles souffrent, celui qu'elles maudissent en priant Dieu, es-tu sûre qu'en le voyant, elles ne briseraient pas leurs chaînes pour courir à leurs malheurs passés, et pour presser leurs poitrines sanglantes sur le poignard qui les a
240 meurtries ? Ô mon enfant ! sais-tu les rêves de ces femmes, qui te disent de ne pas rêver ? Sais-tu quel nom elles murmurent quand les sanglots qui sortent de leurs lèvres font trembler l'hostie qu'on leur présente ? Elles qui s'assoient près de toi avec leurs têtes branlantes pour verser dans ton oreille leur vieillesse flétrie, elles qui

---

1. *Virginale* : qui caractérise une jeune femme vierge.
2. *Décharnés* : qui n'ont plus de chair, très maigres.

245 sonnent dans les ruines de ta jeunesse le tocsin [1] de leur désespoir,
et qui font sentir à ton sang vermeil la fraîcheur de leurs tombes,
sais-tu qui elles sont ?

CAMILLE

Vous me faites peur ; la colère vous prend aussi.

PERDICAN

Sais-tu ce que c'est que des nonnes [2], malheureuse fille ? Elles
250 qui te représentent l'amour des hommes comme un mensonge,
savent-elles qu'il y a pis encore, le mensonge de l'amour divin ?
Savent-elles que c'est un crime qu'elles font de venir chuchoter à
une vierge des paroles de femme ? Ah ! comme elles t'ont fait la
leçon ! Comme j'avais prévu tout cela quand tu t'es arrêtée devant
255 le portrait de notre vieille tante ! Tu voulais partir sans me serrer la
main ; tu ne voulais revoir ni ce bois ni cette pauvre petite fontaine,
qui nous regarde tout en larmes ; tu reniais les jours de ton enfance,
et le masque de plâtre que les nonnes t'ont plaqué sur les joues me
refusait un baiser de frère ; mais ton cœur a battu, il a oublié sa
260 leçon, lui qui ne sait pas lire, et tu es revenue t'asseoir sur l'herbe où
nous voilà. Eh bien ! Camille, ces femmes ont bien parlé ; elles t'ont
mise dans le vrai chemin ; il pourra m'en coûter le bonheur de ma
vie ; mais dis-leur cela de ma part : le ciel n'est pas pour elles.

CAMILLE

Ni pour moi, n'est-ce pas ?

PERDICAN

265 Adieu, Camille, retourne à ton couvent, et lorsqu'on te fera de
ces récits hideux qui t'ont empoisonnée, réponds ce que je vais
te dire : Tous les hommes sont menteurs, inconstants [3], faux,

---

1. *Tocsin* : sonnerie de cloche répétée et prolongée pour alerter d'un danger
(incendie, guerre, troubles…).
2. *Nonnes* : voir note 2, p. 69.
3. *Inconstants* : infidèles.

bavards, hypocrites, orgueilleux et lâches, méprisables et sensuels ; toutes les femmes sont perfides [1], artificieuses [2], vaniteuses,
270 curieuses et dépravées ; le monde n'est qu'un égout sans fond où les phoques les plus informes rampent et se tordent sur des montagnes de fange [3] ; mais il y a au monde une chose sainte et sublime, c'est l'union de deux de ces êtres si imparfaits et si affreux. On est souvent trompé en amour, souvent blessé et sou-
275 vent malheureux ; mais on aime, et quand on est sur le bord de sa tombe, on se retourne pour regarder en arrière, et on se dit : « J'ai souffert souvent, je me suis trompé quelquefois ; mais j'ai aimé. C'est moi qui ai vécu, et non pas un être factice créé par mon orgueil et mon ennui. »

Il sort.

---

1. *Perfides* : qui manquent à leur parole.
2. *Artificieuses* : rusées.
3. *Fange* : boue très sale.

Acte III

Scène 1
Devant le château
Entrent le Baron et maître Blazius

LE BARON

Indépendamment de votre ivrognerie, vous êtes un bélître[1], maître Blazius. Mes valets vous voient entrer furtivement dans l'office, et quand vous êtes convaincu d'avoir volé mes bouteilles de la manière la plus pitoyable, vous croyez vous justifier en accu-
5   sant ma nièce d'une correspondance secrète.

MAÎTRE BLAZIUS

Mais, monseigneur, veuillez vous rappeler…

LE BARON

Sortez, monsieur l'abbé, et ne reparaissez jamais devant moi ; il est déraisonnable d'agir comme vous faites, et ma gravité m'oblige à ne vous pardonner de ma vie.

> *Il sort ; maître Blazius le suit.*
> *Entre Perdican.*

---

1. *Bélître* : coquin et stupide.

PERDICAN

10   Je voudrais bien savoir si je suis amoureux. D'un côté, cette manière d'interroger est tant soit peu cavalière, pour une fille de dix-huit ans ; d'un autre, les idées que ces nonnes [1] lui ont fourrées dans la tête auront de la peine à se corriger. De plus, elle doit partir aujourd'hui. Diable ! je l'aime, cela est sûr. Après tout, qui sait ?
15 peut-être elle répétait une leçon, et d'ailleurs il est clair qu'elle ne se soucie pas de moi. D'une autre part, elle a beau être jolie, cela n'empêche pas qu'elle n'ait des manières beaucoup trop décidées et un ton trop brusque. Je n'ai qu'à n'y plus penser ; il est clair que je ne l'aime pas. Cela est certain qu'elle est jolie ; mais pourquoi
20 cette conversation d'hier ne veut-elle pas me sortir de la tête ? En vérité, j'ai passé la nuit à radoter. Où vais-je donc ? – Ah ! je vais au village.

Il sort.

Scène 2
Un chemin
Entre maître Bridaine

MAÎTRE BRIDAINE

Que font-ils maintenant ? Hélas ! voilà midi. – Ils sont à table. Que mangent-ils ? que ne mangent-ils pas ? J'ai vu la cuisinière traverser le village, avec un énorme dindon. L'aide portait les truffes, avec un panier de raisin.

Entre maître Blazius.

MAÎTRE BLAZIUS

5   Ô disgrâce imprévue ! me voilà chassé du château, par conséquent de la salle à manger. Je ne boirai plus le vin de l'office.

---

1. *Nonnes* : voir note 2, p. 69.

MAÎTRE BRIDAINE

Je ne verrai plus fumer les plats ; je ne chaufferai plus au feu de la noble cheminée mon ventre copieux.

MAÎTRE BLAZIUS

Pourquoi une fatale curiosité m'a-t-elle poussé à écouter le dia-
10 logue de dame Pluche et de la nièce ? Pourquoi ai-je rapporté au Baron ce que j'avais vu ?

MAÎTRE BRIDAINE

Pourquoi un vain orgueil m'a-t-il éloigné de ce dîner hono-
rable où j'étais si bien accueilli ? Que m'importait d'être à droite ou à gauche ?

MAÎTRE BLAZIUS

15 Hélas ! j'étais gris [1], il faut en convenir, lorsque j'ai fait cette folie.

MAÎTRE BRIDAINE

Hélas ! le vin m'avait monté la tête quand j'ai commis cette imprudence.

MAÎTRE BLAZIUS

Il me semble que voilà le curé.

MAÎTRE BRIDAINE

20 C'est le gouverneur en personne.

MAÎTRE BLAZIUS

Oh ! oh ! monsieur le curé, que faites-vous là ?

MAÎTRE BRIDAINE

Moi ! je vais dîner. N'y venez-vous pas ?

---

1. *Gris* : ivre ; cf. le verbe « griser » : enivrer.

MAÎTRE BLAZIUS

Pas aujourd'hui. Hélas ! maître Bridaine, intercédez[1] pour moi ; le Baron m'a chassé. J'ai accusé faussement Mlle Camille
25 d'avoir une correspondance secrète, et cependant Dieu m'est témoin que j'ai vu, ou que j'ai cru voir dame Pluche dans la luzerne. Je suis perdu, monsieur le curé.

MAÎTRE BRIDAINE

Que m'apprenez-vous là ?

MAÎTRE BLAZIUS

Hélas ! hélas ! la vérité ! Je suis en disgrâce[2] complète pour
30 avoir volé une bouteille.

MAÎTRE BRIDAINE

Que parlez-vous, messire, de bouteilles volées à propos d'une luzerne et d'une correspondance ?

MAÎTRE BLAZIUS

Je vous supplie de plaider ma cause. Je suis honnête, seigneur Bridaine. Ô digne seigneur Bridaine, je suis votre serviteur.

MAÎTRE BRIDAINE, *à part.*

35 Ô fortune ! est-ce un rêve ? Je serai donc assis sur toi, ô chaise bienheureuse !

MAÎTRE BLAZIUS

Je vous serai reconnaissant d'écouter mon histoire, et de vouloir bien m'excuser, brave seigneur, cher curé.

MAÎTRE BRIDAINE

Cela m'est impossible, monsieur, il est midi sonné, et je m'en
40 vais dîner. Si le Baron se plaint de vous, c'est votre affaire. Je n'intercède point pour un ivrogne.

---

1. *Intercédez* : intervenez en ma faveur.
2. *Disgrâce* : perte de la faveur de quelqu'un dont on dépend.

À part.

Vite, volons à la grille ; et toi, mon ventre, arrondis-toi.

Il sort en courant.

MAÎTRE BLAZIUS, *seul.*

Misérable Pluche ! c'est toi qui paieras pour tous ; oui, c'est toi
qui es la cause de ma ruine, femme déhontée[1], vile[2] entremet-
45 teuse. C'est à toi que je dois cette disgrâce ; ô sainte université de
Paris ! on me traite d'ivrogne ! Je suis perdu si je ne saisis une lettre,
et si je ne prouve au Baron que sa nièce a une correspondance. Je
l'ai vue ce matin écrire à son bureau. Patience ! voici du nouveau.

Passe dame Pluche portant une lettre.

Pluche, donnez-moi cette lettre.

DAME PLUCHE

50 Que signifie cela ? C'est une lettre de ma maîtresse que je vais
mettre à la poste au village.

MAÎTRE BLAZIUS

Donnez-la-moi, ou vous êtes morte.

DAME PLUCHE

Moi, morte ! morte ! Marie, Jésus, vierge et martyr.

MAÎTRE BLAZIUS

Oui, morte, Pluche ; donnez-moi ce papier.

Ils se battent ; entre Perdican.

PERDICAN

55 Qu'y a-t-il ? Que faites-vous, Blazius ? Pourquoi violenter
cette femme ?

DAME PLUCHE

Rendez-moi la lettre. Il me l'a prise, seigneur, justice !

---

1. *Déhontée* : sans pudeur (terme archaïque).
2. *Vile* : méprisable.

MAÎTRE BLAZIUS

C'est une entremetteuse, seigneur, cette lettre est un billet doux.

DAME PLUCHE

C'est une lettre de Camille, seigneur, de votre fiancée.

MAÎTRE BLAZIUS

60 C'est un billet doux à un gardeur de dindons.

DAME PLUCHE

Tu en as menti, abbé. Apprends cela de moi.

PERDICAN

Donnez-moi cette lettre ; je ne comprends rien à votre dispute ;
mais en qualité de fiancé de Camille, je m'arroge[1] le droit de la lire.

Il lit.

« À la sœur Louise, au couvent de ***. »

À part.

65 Quelle maudite curiosité me saisit malgré moi ? Mon cœur
bat avec force, et je ne sais ce que j'éprouve. – Retirez-vous,
dame Pluche, vous êtes une digne femme, et maître Blazius est
un sot. Allez dîner ; je me charge de mettre cette lettre à la poste.

Sortent maître Blazius et dame Pluche.

PERDICAN, *seul.*

Que ce soit un crime d'ouvrir une lettre, je le sais trop bien
70 pour le faire. Que peut dire Camille à cette sœur ? Suis-je donc
amoureux ? Quel empire a donc pris sur moi cette singulière fille,
pour que les trois mots écrits sur cette adresse me fassent trembler
la main ? Cela est singulier ; Blazius, en se débattant avec dame
Pluche, a fait sauter le cachet. Est-ce un crime de rompre le pli[2] ?
75 Bon, je n'y changerai rien.

---

1. *Je m'arroge* : je m'attribue sans permission.
2. *Rompre le pli* : la lettre n'est pas sous enveloppe, il s'agit d'une lettre pliée
et cachetée dont Perdican va briser le sceau.

« Je pars aujourd'hui, ma chère, et tout est arrivé comme je l'avais prévu. C'est une terrible chose ; mais ce pauvre jeune homme a le poignard dans le cœur, il ne se consolera pas de m'avoir perdue. Cependant j'ai fait tout au monde pour le

80 dégoûter de moi. Dieu me pardonnera de l'avoir réduit au désespoir par mon refus. Hélas ! ma chère, que pouvais-je y faire ? Priez pour moi ; nous nous reverrons demain, et pour toujours. Toute à vous du meilleur de mon âme.

Camille. »

85 Est-il possible ? Camille écrit cela ! C'est de moi qu'elle parle ainsi ! Moi au désespoir de son refus ! Eh ! bon Dieu ! si cela était vrai, on le verrait bien ; quelle honte peut-il y avoir à aimer ? Elle a fait tout au monde pour me dégoûter, dit-elle, et j'ai le poignard dans le cœur ? Quel intérêt peut-elle avoir à inventer un roman

90 pareil ? Cette pensée que j'avais cette nuit est-elle donc vraie ? Ô femmes ! Cette pauvre Camille a peut-être une grande piété ; c'est de bon cœur qu'elle se donne à Dieu, mais elle a résolu et décrété qu'elle me laisserait au désespoir. Cela était convenu entre les bonnes amies, avant de partir du couvent. On a décidé que

95 Camille allait revoir son cousin, qu'on le lui voudrait faire épouser, qu'elle refuserait, et que le cousin serait désolé. Cela est si intéressant, une jeune fille qui fait à Dieu le sacrifice du bonheur d'un cousin ! Non, non, Camille, je ne t'aime pas ; je ne suis pas au désespoir. Je n'ai pas le poignard dans le cœur, et je te le

100 prouverai. Oui, tu sauras que j'en aime une autre, avant que de partir d'ici. Holà ! brave homme !

Entre un paysan.

Allez au château, dites à la cuisine qu'on envoie un valet porter à Mlle Camille le billet que voici.

Il écrit.

LE PAYSAN

Oui, monseigneur.

Il sort.

PERDICAN

105   Maintenant, à l'autre. Ah ! je suis au désespoir ! Holà ! Rosette ! Rosette !

Il frappe à une porte.

ROSETTE, *ouvrant.*

C'est vous, monseigneur ? Entrez, ma mère y est.

PERDICAN

Mets ton plus beau bonnet, Rosette, et viens avec moi.

ROSETTE

Où donc ?

PERDICAN

110   Je te le dirai ; demande la permission à ta mère, mais dépêche-toi.

ROSETTE

Oui, monseigneur.

Elle rentre dans la maison.

PERDICAN

  J'ai demandé un nouveau rendez-vous à Camille, et je suis sûr qu'elle y viendra ; mais, par le ciel ! elle n'y trouvera pas ce qu'elle 115 y comptera trouver. Je veux faire la cour à Rosette, devant Camille elle-même.

Scène 3

Le petit bois
Entrent Camille et le paysan

LE PAYSAN

Mademoiselle, je vais au château porter une lettre pour vous ; faut-il que je vous la donne, ou que je la remette à la cuisine, comme me l'a dit le seigneur Perdican ?

CAMILLE

Donne-la-moi.

LE PAYSAN

5   Si vous aimez mieux que je la porte au château, ce n'est pas la peine de m'attarder.

CAMILLE

Je te dis de me la donner.

LE PAYSAN

Ce qui vous plaira.

Il donne la lettre.

CAMILLE

Tiens, voilà pour ta peine.

LE PAYSAN

10   Grand merci ; je m'en vais, n'est-ce pas ?

CAMILLE

Si tu veux.

LE PAYSAN

Je m'en vais, je m'en vais.

Il sort.

CAMILLE, *lisant.*

Perdican me demande de lui dire adieu avant de partir, près de la petite fontaine où je l'ai fait venir hier. Que peut-il avoir à me
15 dire ? Voilà justement la fontaine, et je suis toute portée[1]. Dois-je accorder ce second rendez-vous ? Ah !

Elle se cache derrière un arbre.

Voilà Perdican qui approche avec Rosette, ma sœur de lait. Je suppose qu'il va la quitter ; je suis bien aise de ne pas avoir l'air d'arriver la première.

Entrent Perdican et Rosette, qui s'assoient.

CAMILLE, *cachée, à part.*

20 Que veut dire cela ? Il la fait asseoir près de lui ! Me demande-t-il un rendez-vous pour y venir causer avec une autre ? Je suis curieuse de savoir ce qu'il lui dit.

PERDICAN, *à haute voix,*
de manière que Camille l'entende.

Je t'aime, Rosette ; toi seule au monde tu n'as rien oublié de nos beaux jours passés, toi seule tu te souviens de la vie qui n'est
25 plus ; prends ta part de ma vie nouvelle ; donne-moi ton cœur, chère enfant ; voilà le gage de notre amour.

Il lui pose sa chaîne sur le cou.

ROSETTE

Vous me donnez votre chaîne d'or ?

PERDICAN

Regarde à présent cette bague. Lève-toi, et approchons-nous de cette fontaine. Nous vois-tu tous les deux, dans la source, appuyés

---

1. *Portée* : arrivée à destination.

30 l'un sur l'autre ? Vois-tu tes beaux yeux près des miens, ta main dans la mienne ? Regarde tout cela s'effacer.

Il jette sa bague dans l'eau.

Regarde comme notre image a disparu ; la voilà qui revient peu à peu ; l'eau qui s'était troublée reprend son équilibre ; elle tremble encore ; de grands cercles noirs courent à sa surface ;
35 patience, nous reparaissons ; déjà je distingue de nouveau tes bras enlacés dans les miens ; encore une minute, et il n'y aura plus une ride sur ton joli visage ; regarde ! c'était une bague que m'avait donnée Camille.

CAMILLE, *à part.*

Il a jeté ma bague dans l'eau.

PERDICAN

40 Sais-tu ce que c'est que l'amour, Rosette ? Écoute ! le vent se tait ; la pluie du matin roule en perles sur les feuilles séchées que le soleil ranime. Par la lumière du ciel, par le soleil que voilà, je t'aime. Tu veux bien de moi, n'est-ce pas ? On n'a pas flétri ta jeunesse ? on n'a pas infiltré dans ton sang vermeil les restes d'un
45 sang affadi ? Tu ne veux pas te faire religieuse ; te voilà jeune et belle dans les bras d'un jeune homme ; ô Rosette, Rosette, sais-tu ce que c'est que l'amour ?

ROSETTE

Hélas ! monsieur le docteur[1], je vous aimerai comme je pourrai.

PERDICAN

50 Oui, comme tu pourras ; et tu m'aimeras mieux, tout docteur que je suis, et toute paysanne que tu es, que ces pâles statues fabriquées par les nonnes[2], qui ont la tête à la place du cœur, et qui sortent des cloîtres pour venir répandre dans la vie

---

1. *Monsieur le docteur* : voir note 1, p. 24.
2. *Nonnes* : voir note 2, p. 69.

l'atmosphère humide de leurs cellules ; tu ne sais rien ; tu ne lirais
55 pas dans un livre la prière que ta mère t'apprend, comme elle l'a
apprise de sa mère ; tu ne comprends même pas le sens des
paroles que tu répètes, quand tu t'agenouilles au pied de ton lit ;
mais tu comprends bien que tu pries, et c'est tout ce qu'il faut
à Dieu.

ROSETTE

60 Comme vous me parlez, monseigneur.

PERDICAN

Tu ne sais pas lire ; mais tu sais ce que disent ces bois et ces
prairies, ces tièdes rivières, ces beaux champs couverts de moissons, toute cette nature splendide de jeunesse. Tu reconnais tous
ces milliers de frères, et moi pour l'un d'entre eux ; lève-toi ; tu
65 seras ma femme, et nous prendrons racine ensemble dans la sève
du monde tout-puissant.

Il sort avec Rosette.

Scène 4
Entre le chœur

LE CHŒUR

Il se passe assurément quelque chose d'étrange au château ;
Camille a refusé d'épouser Perdican ; elle doit retourner aujour-
d'hui au couvent dont[1] elle est venue. Mais je crois que le seigneur son cousin s'est consolé avec Rosette. Hélas ! la pauvre
5 fille ne sait pas quel danger elle court, en écoutant les discours
d'un jeune et galant seigneur.

DAME PLUCHE, *entrant.*

Vite, vite, qu'on selle mon âne.

---

1. **Dont** : d'où (tournure ancienne).

LE CHŒUR

Passerez-vous comme un songe léger, ô vénérable dame ? Allez-vous si promptement enfourcher derechef[1] cette pauvre
10 bête qui est si triste de vous porter ?

DAME PLUCHE

Dieu merci, chère canaille, je ne mourrai pas ici.

LE CHŒUR

Mourez au loin, Pluche, ma mie[2] ; mourez inconnue dans un caveau[3] malsain. Nous ferons des vœux pour votre respectable résurrection.

DAME PLUCHE

15 Voici ma maîtresse qui s'avance.

À Camille qui entre.

Chère Camille, tout est prêt pour notre départ ; le Baron a rendu ses comptes, et mon âne est bâté[4].

CAMILLE

Allez au diable, vous et votre âne ; je ne partirai pas aujourd'hui.

Elle sort.

LE CHŒUR

20 Que veut dire ceci ? Dame Pluche est pâle de terreur ; ses faux cheveux tentent de se hérisser, sa poitrine siffle avec force, et ses doigts s'allongent en se crispant.

DAME PLUCHE

Seigneur Jésus ! Camille a juré.

Elle sort.

---

1. *Derechef* : de nouveau.
2. *Ma mie* : mon amie (emploi ironique).
3. *Un caveau* : ici, une cellule de couvent.
4. *Bâté* : sellé, prêt à partir.

Scène 5

Entrent le Baron et maître Bridaine

MAÎTRE BRIDAINE

Seigneur, il faut que je vous parle en particulier. Votre fils fait la cour à une fille du village.

LE BARON

C'est absurde, mon ami.

MAÎTRE BRIDAINE

Je l'ai vu distinctement passer dans la bruyère en lui donnant
5 le bras ; il se penchait à son oreille, et lui promettait de l'épouser.

LE BARON

Cela est monstrueux.

MAÎTRE BRIDAINE

Soyez-en convaincu ; il lui a fait un présent considérable que la petite a montré à sa mère.

LE BARON

Ô ciel ! considérable, Bridaine ? En quoi considérable ?

MAÎTRE BRIDAINE

10 Pour le poids et pour la conséquence. C'est la chaîne d'or qu'il portait à son bonnet.

LE BARON

Passons dans mon cabinet ; je ne sais à quoi m'en tenir.

Ils sortent.

Scène 6

La chambre de Camille
Entrent Camille et dame Pluche

CAMILLE

Il a pris ma lettre, dites-vous ?

DAME PLUCHE

Oui, mon enfant, il s'est chargé de la mettre à la poste.

CAMILLE

Allez au salon, dame Pluche, et faites-moi le plaisir de dire à Perdican que je l'attends ici.

Dame Pluche sort.

5   Il a lu ma lettre, cela est certain ; sa scène du bois est une vengeance, comme son amour pour Rosette. Il a voulu me prouver qu'il en aimait une autre que moi, et jouer l'indifférent malgré son dépit. Est-ce qu'il m'aimerait, par hasard ?

Elle lève la tapisserie.

Es-tu là, Rosette ?

ROSETTE, *entrant.*

10   Oui ; puis-je entrer ?

CAMILLE

Écoute-moi, mon enfant ; le seigneur Perdican ne te fait-il pas la cour ?

ROSETTE

Hélas ! oui.

CAMILLE

Que penses-tu de ce qu'il t'a dit ce matin ?

15   Ce matin ? Où donc ?

CAMILLE

Ne fais pas l'hypocrite. – Ce matin, à la fontaine, dans le petit bois.

ROSETTE

Vous m'avez donc vue ?

CAMILLE

Pauvre innocente ! Non, je ne t'ai pas vue. Il t'a fait de beaux
20 discours, n'est-ce pas ? Gageons[1] qu'il t'a promis de t'épouser.

ROSETTE

Comment le savez-vous ?

CAMILLE

Qu'importe comment je le sais ? Crois-tu à ses promesses, Rosette ?

ROSETTE

Comment n'y croirais-je pas ? il me tromperait donc ? Pour
25 quoi faire ?

CAMILLE

Perdican ne t'épousera pas, mon enfant.

ROSETTE

Hélas ! je n'en sais rien.

CAMILLE

Tu l'aimes, pauvre fille ; il ne t'épousera pas, et la preuve, je
vais te la donner ; rentre derrière ce rideau, tu n'auras qu'à prêter
30 l'oreille et à venir quand je t'appellerai.

Rosette sort.

---

1. *Gageons* : parions.

CAMILLE, *seule*.

Moi qui croyais faire un acte de vengeance, ferais-je un acte d'humanité ? La pauvre fille a le cœur pris.

Entre Perdican.

Bonjour, cousin, asseyez-vous.

PERDICAN

Quelle toilette, Camille ! À qui en voulez-vous ?

CAMILLE

35 À vous, peut-être ; je suis fâchée de n'avoir pu me rendre au rendez-vous que vous m'avez demandé ; vous aviez quelque chose à me dire ?

PERDICAN, *à part*.

Voilà, sur ma vie, un petit mensonge assez gros, pour un agneau sans tache ; je l'ai vue derrière un arbre écouter la conver-
40 sation.

Haut.

Je n'ai rien à vous dire, qu'un adieu, Camille ; je croyais que vous partiez ; cependant votre cheval est à l'écurie, et vous n'avez pas l'air d'être en robe de voyage.

CAMILLE

J'aime la discussion ; je ne suis pas bien sûre de ne pas avoir
45 eu envie de me quereller encore avec vous.

PERDICAN

À quoi sert de se quereller, quand le raccommodement est impossible ? Le plaisir des disputes, c'est de faire la paix.

CAMILLE

Êtes-vous convaincu que je ne veuille pas la faire ?

PERDICAN

Ne raillez pas ; je ne suis pas de force à vous répondre.

50 Je voudrais qu'on me fît la cour ; je ne sais si c'est que j'ai une robe neuve, mais j'ai envie de m'amuser. Vous m'avez proposé d'aller au village, allons-y, je veux bien ; mettons-nous en bateau ; j'ai envie d'aller dîner sur l'herbe, ou de faire une promenade dans la forêt. Fera-t-il clair de lune, ce soir ? Cela est singulier ; vous 55 n'avez plus au doigt la bague que je vous ai donnée.

PERDICAN

Je l'ai perdue.

CAMILLE

C'est donc pour cela que je l'ai trouvée ; tenez, Perdican, la voilà.

PERDICAN

Est-ce possible ? Où l'avez-vous trouvée ?

CAMILLE

60 Vous regardez si mes mains sont mouillées, n'est-ce pas ? En vérité, j'ai gâté ma robe de couvent pour retirer ce petit hochet d'enfant de la fontaine. Voilà pourquoi j'en ai mis une autre, et je vous dis, cela m'a changée ; mettez donc cela à votre doigt.

PERDICAN

Tu as retiré cette bague de l'eau, Camille, au risque de te préci-
65 piter [1] ? Est-ce un songe ? La voilà ; c'est toi qui me la mets au doigt ! Ah ! Camille, pourquoi me le rends-tu, ce triste gage d'un bonheur qui n'est plus ? Parle, coquette et imprudente fille, pourquoi pars-tu, pourquoi restes-tu ? Pourquoi, d'une heure à l'autre, changes-tu d'apparence et de couleur, comme la pierre de cette 70 bague à chaque rayon du soleil ?

---

1. *Au risque de te précipiter* : au risque de tomber la tête en avant.

CAMILLE

Connaissez-vous le cœur des femmes, Perdican ? Êtes-vous sûr
de leur inconstance, et savez-vous si elles changent réellement de
pensée en changeant quelquefois de langage ? Il y en a qui disent
que non. Sans doute, il nous faut souvent jouer un rôle, souvent
75 mentir ; vous voyez que je suis franche ; mais êtes-vous sûr que
tout mente dans une femme, lorsque sa langue ment ? Avez-vous
bien réfléchi à la nature de cet être faible et violent, à la rigueur
avec laquelle on le juge, aux principes qu'on lui impose ? Et qui
sait si, forcée à tromper par le monde, la tête de ce petit être sans
80 cervelle ne peut pas y prendre plaisir, et mentir quelquefois par
passe-temps, par folie, comme elle ment par nécessité ?

PERDICAN

Je n'entends rien à tout cela, et je ne mens jamais. Je t'aime,
Camille, voilà tout ce que je sais.

CAMILLE

Vous dites que vous m'aimez, et vous ne mentez jamais ?

PERDICAN

85 Jamais.

CAMILLE

En voilà une qui dit pourtant que cela vous arrive quelquefois.

> *Elle lève la tapisserie. Rosette paraît dans le fond,*
> *évanouie sur une chaise.*

Que répondrez-vous à cette enfant, Perdican, lorsqu'elle vous
demandera compte de vos paroles ? Si vous ne mentez jamais,
d'où vient donc qu'elle s'est évanouie en vous entendant me dire
90 que vous m'aimez ? Je vous laisse avec elle ; tâchez de la faire
revenir[1].

> *Elle veut sortir.*

---

1. *Tâchez de la faire revenir* : tâchez de la faire revenir à elle, de lui faire
reprendre ses esprits.

PERDICAN

Un instant, Camille, écoute-moi.

CAMILLE

Que voulez-vous me dire ? c'est à Rosette qu'il faut parler. Je ne
vous aime pas, moi ; je n'ai pas été chercher par dépit cette mal-
95 heureuse enfant au fond de sa chaumière, pour en faire un appât,
un jouet ; je n'ai pas répété imprudemment devant elle des paroles
brûlantes adressées à une autre ; je n'ai pas feint de jeter au vent
pour elle le souvenir d'une amitié chérie ; je ne lui ai pas mis ma
chaîne au cou ; je ne lui ai pas dit que je l'épouserais.

PERDICAN

100 Écoute-moi, écoute-moi !

CAMILLE

N'as-tu pas souri tout à l'heure quand je t'ai dit que je n'avais
pu aller à la fontaine ? Eh bien ! oui, j'y étais, et j'ai tout entendu ;
mais, Dieu m'en est témoin, je ne voudrais pas y avoir parlé
comme toi. Que feras-tu de cette fille-là, maintenant, quand elle
105 viendra, avec tes baisers ardents sur les lèvres, te montrer en pleu-
rant la blessure que tu lui as faite ? Tu as voulu te venger de moi,
n'est-ce pas, et me punir d'une lettre écrite à mon couvent ? Tu as
voulu me lancer à tout prix quelque trait qui pût m'atteindre, et tu
comptais pour rien que ta flèche empoisonnée traversât cette
110 enfant, pourvu qu'elle me frappât derrière elle. Je m'étais vantée
de t'avoir inspiré quelque amour, de te laisser quelque regret. Cela
t'a blessé dans ton noble orgueil ? Eh bien ! apprends-le de moi, tu
m'aimes, entends-tu, mais tu épouseras cette fille, ou tu n'es qu'un
lâche.

PERDICAN

115 Oui, je l'épouserai.

CAMILLE

Et tu feras bien.

PERDICAN

Très bien, et beaucoup mieux qu'en t'épousant toi-même. Qu'y a-t-il, Camille ? Qui t'échauffe si fort ? Cette enfant s'est évanouie ; nous la ferons bien revenir ; il ne faut pour cela qu'un
120 flacon de vinaigre ; tu as voulu me prouver que j'avais menti une fois dans ma vie ; cela est possible, mais je te trouve hardie de décider à quel instant. Viens, aide-moi à secourir Rosette.

Ils sortent.

Scène 7

Entrent le Baron et Camille

LE BARON

Si cela se fait, je deviendrai fou.

CAMILLE

Employez votre autorité.

LE BARON

Je deviendrai fou, et je refuserai mon consentement, voilà qui est certain.

CAMILLE

5   Vous devriez lui parler, et lui faire entendre raison.

LE BARON

Cela me jettera dans le désespoir pour tout le carnaval, et je ne paraîtrai pas une fois à la cour. C'est un mariage disproportionné. Jamais on n'a entendu parler d'épouser la sœur de lait de sa cousine ; cela passe toute espèce de bornes.

CAMILLE

10   Faites-le appeler, et dites-lui nettement que ce mariage vous déplaît. Croyez-moi, c'est une folie, et il ne résistera pas.

LE BARON

Je serai vêtu de noir cet hiver, tenez-le pour assuré.

CAMILLE

Mais parlez-lui, au nom du ciel. C'est un coup de tête qu'il a fait ; peut-être n'est-il déjà plus temps ; s'il en a parlé, il le fera.

LE BARON

15   Je vais m'enfermer pour m'abandonner à la douleur. Dites-lui, s'il me demande, que je suis enfermé, et que je m'abandonne à ma douleur de le voir épouser une fille sans nom.

Il sort.

CAMILLE

Ne trouverai-je pas ici un homme de cœur [1] ? En vérité, quand on en cherche, on est effrayé de sa solitude.

Entre Perdican.

20   Eh bien ! cousin, à quand le mariage ?

PERDICAN

Le plus tôt possible ; j'ai déjà parlé au notaire, au curé, et à tous les paysans.

CAMILLE

Vous comptez donc réellement que vous épouserez Rosette ?

PERDICAN

Assurément.

---

1. *Un homme de cœur* : un homme courageux.

CAMILLE

25   Qu'en dira votre père ?

PERDICAN

Tout ce qu'il voudra, il me plaît d'épouser cette fille ; c'est une
idée que je vous dois, et je m'y tiens. Faut-il vous répéter les lieux
communs les plus rebattus sur sa naissance et sur la mienne ? Elle
est jeune et jolie, et elle m'aime. C'est plus qu'il n'en faut pour être
30 trois fois heureux. Qu'elle ait de l'esprit ou qu'elle n'en ait pas,
j'aurais pu trouver pire. On criera et on raillera[1] ; je m'en lave les
mains.

CAMILLE

Il n'y a rien là de risible ; vous faites très bien de l'épouser.
Mais je suis fâchée pour vous d'une chose : c'est qu'on dira que
35 vous l'avez fait par dépit.

PERDICAN

Vous êtes fâchée de cela ? Oh ! que non !

CAMILLE

Si, j'en suis vraiment fâchée pour vous. Cela fait du tort à un
jeune homme, de ne pouvoir résister à un moment de dépit.

PERDICAN

Soyez-en donc fâchée ; quant à moi, cela m'est bien égal.

CAMILLE

40 Mais vous n'y pensez pas ; c'est une fille de rien.

PERDICAN

Elle sera donc de quelque chose, lorsqu'elle sera ma femme.

---

1. *On raillera* : on se moquera.

CAMILLE

Elle vous ennuiera avant que le notaire ait mis son habit neuf et ses souliers pour venir ici ; le cœur vous lèvera au repas de noces, et le soir de la fête, vous lui ferez couper les mains et les pieds, comme dans les contes arabes, parce qu'elle sentira le ragoût.

PERDICAN

Vous verrez que non. Vous ne me connaissez pas ; quand une femme est douce et sensible, franche, bonne et belle, je suis capable de me contenter de cela, oui, en vérité, jusqu'à ne pas me soucier de savoir si elle parle latin.

CAMILLE

Il est à regretter qu'on ait dépensé tant d'argent pour vous l'apprendre ; c'est trois mille écus de perdus.

PERDICAN

Oui, on aurait mieux fait de les donner aux pauvres.

CAMILLE

Ce sera vous qui vous en chargerez, du moins pour les pauvres d'esprit [1].

PERDICAN

Et ils me donneront en échange le royaume des cieux, car il est à eux.

CAMILLE

Combien de temps durera cette plaisanterie ?

PERDICAN

Quelle plaisanterie ?

---

1. *Les pauvres d'esprit* : déformation courante de l'expression évangélique *les pauvres en esprit*, qui désigne ceux qui se veulent pauvres, qui le sont en intention. Le sens ici est détourné pour signifier les imbéciles, ceux qui ont peu d'esprit.

Votre mariage avec Rosette.

PERDICAN

60 Bien peu de temps ; Dieu n'a pas fait de l'homme une œuvre
de durée : trente ou quarante ans, tout au plus.

CAMILLE

Je suis curieuse de danser à vos noces.

PERDICAN

Écoutez-moi, Camille, voilà un ton de persiflage [1] qui est hors
de propos.

CAMILLE

65 Il me plaît trop pour que je le quitte.

PERDICAN

Je vous quitte donc vous-même, car j'en ai tout à l'heure [2]
assez.

CAMILLE

Allez-vous chez votre épousée ?

PERDICAN

Oui, j'y vais de ce pas.

CAMILLE

70 Donnez-moi donc le bras ; j'y vais aussi.

Entre Rosette.

---

1. *Persiflage* : fait de tourner quelqu'un en ridicule en faisant semblant de lui
témoigner de la sympathie.
2. *Tout à l'heure* : ici dans le sens classique de sur-le-champ, maintenant, à
l'instant.

PERDICAN

Te voilà, mon enfant ? Viens, je veux te présenter à mon père.

Rosette, se mettant à genoux.

Monseigneur, je viens vous demander une grâce. Tous les gens du village à qui j'ai parlé ce matin, m'ont dit que vous aimiez votre cousine, et que vous ne m'avez fait la cour que pour vous divertir
75 tous deux ; on se moque de moi quand je passe, et je ne pourrai plus trouver de mari dans le pays, après avoir servi de risée à tout le monde. Permettez-moi de vous rendre le collier que vous m'avez donné, et de vivre en paix chez ma mère.

CAMILLE

Tu es une bonne fille, Rosette ; garde ce collier, c'est moi qui
80 te le donne, et mon cousin prendra le mien à la place. Quant à un mari, n'en sois pas embarrassée, je me charge de t'en trouver un.

PERDICAN

Cela n'est pas difficile, en effet. Allons, Rosette, viens, que je te mène à mon père.

CAMILLE

85 Pourquoi ? Cela est inutile.

PERDICAN

Oui, vous avez raison, mon père nous recevrait mal ; il faut laisser passer le premier moment de surprise qu'il a éprouvée. Viens avec moi, nous retournerons sur la place. Je trouve plaisant qu'on dise que je ne t'aime pas quand je t'épouse. Pardieu ! nous
90 les ferons bien taire.

Il sort avec Rosette.

CAMILLE

Que se passe-t-il donc en moi ? Il l'emmène d'un air bien tranquille. Cela est singulier ; il me semble que la tête me tourne. Est-ce

qu'il l'épouserait tout de bon ? Holà ! dame Pluche, dame Pluche !
N'y a-t-il donc personne ici ?

Entre un valet.

95   Courez après le seigneur Perdican ; dites-lui vite qu'il remonte
ici ; j'ai à lui parler.

Le valet sort.

Mais qu'est-ce donc que tout cela ? Je n'en puis plus, mes
pieds refusent de me soutenir.

Rentre Perdican.

PERDICAN

Vous m'avez demandé, Camille ?

CAMILLE

100   Non, – non. –

PERDICAN

En vérité, vous voilà pâle ; qu'avez-vous à me dire ? Vous
m'avez fait rappeler pour me parler.

CAMILLE

Non, non. – Oh ! Seigneur Dieu !

Elle sort.

Scène 8

Un oratoire [1]. *Entre Camille ;*
elle se jette au pied de l'autel

CAMILLE

M'avez-vous abandonnée, ô mon Dieu ? Vous le savez,
lorsque je suis venue, j'avais juré de vous être fidèle ; quand j'ai

---

1. *Oratoire* : lieu destiné à la prière, petite chapelle, pouvant être située à
l'intérieur d'un château.

refusé de devenir l'épouse d'un autre que vous, j'ai cru parler sincèrement, devant vous et ma conscience; vous le savez; mon
5 père, ne voulez-vous donc plus de moi? Oh! pourquoi faites-vous mentir la vérité elle-même? Pourquoi suis-je si faible? Ah, malheureuse, je ne puis plus prier.

Entre Perdican.

PERDICAN

Orgueil, le plus fatal des conseillers humains, qu'es-tu venu faire entre cette fille et moi? La voilà pâle et effrayée, qui presse
10 sur les dalles insensibles son cœur et son visage. Elle aurait pu m'aimer, et nous étions nés l'un pour l'autre; qu'es-tu venu faire sur nos lèvres, orgueil, lorsque nos mains allaient se joindre?

CAMILLE

Qui m'a suivie? Qui parle sous cette voûte? Est-ce toi, Perdican?

PERDICAN

15 Insensés que nous sommes! nous nous aimons. Quel songe avons-nous fait, Camille? Quelles vaines paroles, quelles misérables folies ont passé comme un vent funeste entre nous deux? Lequel de nous a voulu tromper l'autre? Hélas! cette vie est elle-même un si pénible rêve; pourquoi encore y mêler les nôtres? Ô
20 mon Dieu, le bonheur est une perle si rare dans cet océan d'ici-bas! Tu nous l'avais donné, pêcheur céleste, tu l'avais tiré pour nous des profondeurs de l'abîme, cet inestimable joyau; et nous, comme des enfants gâtés que nous sommes, nous en avons fait un jouet; le vert sentier qui nous amenait l'un vers l'autre avait
25 une pente si douce, il était entouré de buissons si fleuris, il se perdait dans un si tranquille horizon! Il a bien fallu que la vanité, le bavardage et la colère vinssent jeter leurs rochers informes sur cette route céleste, qui nous aurait conduits à toi dans un baiser! Il a bien fallu que nous nous fissions du mal, car nous sommes
30 des hommes. Ô insensés! nous nous aimons.

Il la prend dans ses bras.

CAMILLE

Oui, nous nous aimons, Perdican ; laisse-moi le sentir sur ton cœur, ce Dieu qui nous regarde ne s'en offensera pas ; il veut bien que je t'aime ; il y a quinze ans qu'il le sait.

PERDICAN

Chère créature, tu es à moi !
Il l'embrasse ; on entend un grand cri derrière l'autel.

CAMILLE

35 C'est la voix de ma sœur de lait [1].

PERDICAN

Comment est-elle ici ! Je l'avais laissée dans l'escalier, lorsque tu m'as fait rappeler. Il faut donc qu'elle m'ait suivi, sans que je m'en sois aperçu.

CAMILLE

Entrons dans cette galerie ; c'est là qu'on a crié.

PERDICAN

40 Je ne sais ce que j'éprouve ; il me semble que mes mains sont couvertes de sang.

CAMILLE

La pauvre enfant nous a sans doute épiés ; elle s'est encore évanouie ; viens, portons-lui secours ; hélas ! tout cela est cruel.

PERDICAN

Non, en vérité, je n'entrerai pas ; je sens un froid mortel qui 45 me paralyse. Vas-y, Camille, et tâche de la ramener.
Camille sort.

---

1. *Sœur de lait* : voir note 2, page 22.

Je vous en supplie, mon Dieu ! ne faites pas de moi un meurtrier ! Vous voyez ce qui se passe ; nous sommes deux enfants insensés, et nous avons joué avec la vie et la mort ; mais notre cœur est pur ; ne tuez pas Rosette, Dieu juste ! Je lui trouverai un
50 mari, je réparerai ma faute ; elle est jeune, elle sera riche, elle sera heureuse ; ne faites pas cela, ô Dieu, vous pouvez bénir encore quatre de vos enfants. Eh bien ! Camille, qu'y a-t-il ?

Camille rentre.

CAMILLE
Elle est morte. Adieu, Perdican.

DOSSIER

- **Êtes-vous un lecteur attentif ?**
- **Petits mots doux**
- **Le jeu des contraires**
- **À chacun son mensonge**
- **Le langage dramatique**
- **Le langage romantique**

Êtes-vous un lecteur attentif ?

Voici huit questions pour tester votre lecture d'*On ne badine pas avec l'amour*. Trouvez la bonne réponse. Indiquez ensuite quelle scène du texte vous a permis de répondre.

1. Quel lien unit Rosette et Camille ?
2. Pourquoi le gouverneur, maître Blazius, est-il chassé du château ?
3. Quelle caractéristique physique a Dame Pluche ?
4. Pourquoi Camille est-elle venue au château ?
5. Quel est le degré de parenté entre Perdican et Camille ?
6. Quel âge a Camille ?
7. Que récupère Camille dans la fontaine ?
8. Quelle est la fonction du Baron ?

Petits mots doux

Les railleries et les insultes s'échangent facilement dans la pièce. Qui est désigné par les expressions suivantes, et dans quelles scènes ?

1. une pécore
2. une gardeuse de dindons
3. un bélître
4. le plus mauvais garnement et le meilleur garçon de la terre
5. un âne bâté
6. une pâle statue fabriquée par les nonnes, qui a la tête à la place du cœur
7. une pauvre innocente
8. un lâche

Le jeu des contraires

Dans la tirade de Perdican qui reproche à Camille une vision stéréotypée des relations entre les hommes et les femmes, de nombreux adjectifs dépréciatifs qualifient les êtres humains. Trouvez leur antonyme... et rédigez une autre tirade qui fait l'éloge des qualités des uns et des autres.

Artificieux •	• Constant
Bavard •	• Courageux
Curieux •	• Discret
Dépravé •	• Estimable
Faux •	• Franc
Hypocrite •	• Froid
Inconstant •	• Honnête
Lâche •	• Humble
Menteur •	• Indifférent
Méprisable •	• Loyal
Orgueilleux •	• Modeste
Perfide •	• Sincère
Sensuel •	• Vertueux
Vaniteux •	• Vrai

À chacun son mensonge

On ne badine pas avec l'amour est le drame du langage imparfait, de l'aveu impossible. Chacun des personnages va croire à un moment être capable de manipuler l'autre par sa maîtrise du mot. Chacun apprendra malheureusement à ses dépens que le mensonge en révèle plus sur lui-même que tous les beaux et longs discours savamment organisés.

Retrouvez pour chaque réplique le personnage à qui elle appartient, celui à qui elle s'adresse et sa situation dans la pièce.

1. « Seigneur, j'ai une chose singulière à vous dire. Tout à l'heure, j'étais par hasard dans l'office, je veux dire dans la galerie ; qu'aurais-je été faire dans l'office ? »

2. « Elles qui te représentent l'amour des hommes comme un mensonge, savent-elles qu'il y a pis encore, le mensonge de l'amour divin ? »

3. « Tu as menti, abbé. Apprends cela de moi. »

4. « Ne fais pas l'hypocrite. Ce matin, à la fontaine, dans le petit bois. »

5. « Je n'entends rien à cela, et je ne mens jamais. »

6. « Si vous ne mentez jamais, d'où vient donc qu'elle s'est évanouie en vous entendant me dire que vous m'aimez ? »

7. « […] quand j'ai refusé de devenir l'épouse d'un autre que vous, j'ai cru parler sincèrement, devant vous et ma conscience […]. »

Le langage dramatique

Dramatique signifie ici « propre au théâtre ». Sauriez-vous pour chacun des termes énoncés trouver une définition et un exemple dans la pièce ?

1. Une didascalie

....

....

2. Une scène d'exposition

....

....

3. Un aparté

....

....

4. Une stichomythie

....

....

5. Le comique de mots

....

....

Le langage romantique

Les tonalités

Redonnez à chaque extrait la tonalité (*tragique, comique, pathétique, lyrique*) qui lui convient.

1. « Voilà donc ma chère vallée ! mes noyers, mes sentiers verts, ma petite fontaine ; voilà mes jours passés encore tout pleins de vie, voilà le monde mystérieux des rêves de mon enfance ! Ô patrie ! patrie ! mot incompréhensible ! l'homme n'est-il donc né que pour un coin de terre, pour y bâtir son nid et pour y vivre un jour ? »

....

2. « Sais-tu ce que c'est que l'amour, Rosette ? Écoute ! le vent se tait ; la pluie du matin roule en perles sur les feuilles séchées que le soleil ranime. Par la lumière du ciel, par le soleil que voilà, je t'aime. Tu veux bien de moi, n'est-ce pas ? On n'a pas flétri ta jeunesse ? on n'a pas infiltré dans ton sang vermeil les restes d'un sang affadi ? Tu ne veux pas te faire religieuse ; te voilà jeune et belle dans les bras d'un jeune homme ; ô Rosette, Rosette, sais-tu ce que c'est que l'amour ? »

....

3. « Oui, je suis belle, je le sais. Les complimenteurs ne m'apprendront rien : la froide nonne qui coupera mes cheveux pâlira peut-être de sa mutilation ; mais ils ne se changeront pas en bagues et en

chaînes pour courir les boudoirs ; il n'en manquera pas un seul sur ma tête, lorsque le fer y passera ; je ne veux qu'un coup de ciseau, et quand le prêtre qui me bénira me mettra au doigt l'anneau d'or de mon époux céleste, la mèche de cheveux que je lui donnerai pourra lui servir de manteau. »

....

4. « Ô sainte Église catholique ! Qu'on lui ait donné cette place hier, cela se concevait ; il venait d'arriver ; c'était la première fois, depuis nombre d'années, qu'il s'asseyait à cette table. Dieu ! comme il dévorait ! Non, rien ne me restera que des os et des pattes de poulet. Je ne souffrirai pas cet affront. Adieu, vénérable fauteuil où je me suis renversé tant de fois, gorgé de mets succulents ! Adieu, bouteilles cachetées, fumet sans pareil de venaisons cuites à point ! Adieu, table splendide, noble salle à manger, je ne dirai plus le *Benedicite* ! Je retourne à ma cure ; on ne me verra pas confondu parmi la foule des convives, et j'aime mieux, comme César, être le premier au village que le second dans Rome. »

....

5. PERDICAN. – Je ne sais ce que j'éprouve ; il me semble que mes mains sont couvertes de sang.

CAMILLE. – La pauvre enfant nous a sans doute épiés ; elle s'est encore évanouie ; viens, portons-lui secours ; hélas ! tout cela est cruel.

PERDICAN. – Non, en vérité, je n'entrerai pas ; je sens un froid mortel qui me paralyse. Vas-y, Camille, et tâche de la ramener.

Camille sort.

Je vous en supplie, mon Dieu ! ne faites pas de moi un meurtrier ! Vous voyez ce qui se passe ; nous sommes deux enfants insensés, et nous avons joué avec la vie et la mort ; mais notre cœur est pur ; ne tuez pas Rosette, Dieu juste ! Je lui trouverai un mari, je réparerai ma faute ; elle est jeune, elle sera riche, elle sera heureuse ; ne faites pas cela, ô Dieu, vous pouvez bénir encore quatre de vos enfants. Eh bien ! Camille, qu'y a-t-il ?

Camille rentre.

CAMILLE. – Elle est morte. Adieu, Perdican.

....

6. «Tout est perdu ! – perdu sans ressource ! – Je suis perdu : Bridaine va de travers, Blazius sent le vin à faire horreur, et mon fils séduit toutes les filles du village en faisant des ricochets. »

....

7. MAÎTRE BLAZIUS. – Je vous supplie de plaider ma cause. Je suis honnête, seigneur Bridaine. Ô digne seigneur Bridaine, je suis votre serviteur.

MAÎTRE BRIDAINE, *à part.* – Ô fortune ! est-ce un rêve ? Je serai donc assis sur toi, ô chaise bienheureuse !

MAÎTRE BLAZIUS. – Je vous serai reconnaissant d'écouter mon histoire, et de vouloir bien m'excuser, brave seigneur, cher curé.

MAÎTRE BRIDAINE. – Cela m'est impossible, monsieur, il est midi sonné, et je m'en vais dîner. Si le Baron se plaint de vous, c'est votre affaire. Je n'intercède point pour un ivrogne.

....

Les figures de style

Identifiez les figures de style dans les extraits suivants :

1. «Comme un poupon sur l'oreiller, il se ballotte sur son ventre rebondi, et les yeux à demi fermés, il marmotte un *Pater noster* dans son triple menton. Salut, maître Blazius ; vous arrivez au temps de la vendange, pareil à une amphore antique. »

....

2. « Son éducation, Dieu merci, est terminée, et ceux qui la verront auront la joie de respirer une glorieuse fleur de sagesse et de dévotion. Jamais il n'y a rien eu de si pur, de si ange, de si agneau et de si colombe que cette chère nonnain ; que le Seigneur Dieu du ciel la conduise ! »

....

3. « N'avez-vous pas fait une remarque ? c'est que lorsque deux hommes à peu près pareils, également gros, également sots, ayant les mêmes vices et les mêmes passions, viennent par hasard à se rencontrer, il faut nécessairement qu'ils s'adorent ou qu'ils s'exècrent. Par la raison que les contraires s'attirent, qu'un homme grand et desséché aimera un homme petit et rond, que les blonds recherchent les bruns, et réciproquement, je prévois une lutte secrète entre le gouverneur et le curé. Tous deux sont armés d'une égale impudence ; tous deux ont pour ventre un tonneau ; non seulement ils sont gloutons, mais ils sont gourmets ; tous deux se disputeront à dîner, non seulement la quantité, mais la qualité. Si le poisson est petit, comment faire ? et dans tous les cas une langue de carpe ne peut se partager, et une carpe ne peut avoir deux langues. Item, tous deux sont bavards ; mais à la rigueur ils peuvent parler ensemble sans s'écouter ni l'un ni l'autre. »

....

4. « Voilà donc ma chère vallée ! mes noyers, mes sentiers verts, ma petite fontaine ; voilà mes jours passés encore tout pleins de vie, voilà le monde mystérieux des rêves de mon enfance ! Ô patrie ! patrie ! mot incompréhensible ! l'homme n'est-il donc né que pour un coin de terre, pour y bâtir son nid et pour y vivre un jour ? »

....

5. « Je veux aimer, mais je ne veux pas souffrir ; je veux aimer d'un amour éternel, et faire des serments qui ne se violent pas. Voilà mon amant. »

....

6. « Tu ne sais pas lire ; mais tu sais ce que disent ces bois et ces prairies, ces tièdes rivières, ces beaux champs couverts de moissons, toute cette nature splendide de jeunesse. Tu reconnais tous ces milliers de frères, et moi pour l'un d'entre eux ; lève-toi ; tu seras ma femme, et nous prendrons racine ensemble dans la sève du monde tout-puissant. »

....

Notes et citations

Les classiques et les contemporains
dans la même collection

Les anthologies dans la même collection

Création maquette intérieure :
Sarbacane Design.

Composition : IGS-CP.
N° d'édition : L.01EHRN000254.C002
Dépôt légal : août 2014
Imprimé en Espagne par Novoprint (Barcelone)